如果你无所畏惧，就不会变勇敢。

少年励志小说馆
Youth Inspirational Fiction Section

玛蒂的勇气

[美国]琳达·优本◎著

赵　晖◎译

长江出版传媒　｜　湖北少年儿童出版社

图书在版编目(CIP)数据

玛蒂的勇气/(美)优本著;赵晖译.—武汉:湖北少年儿童出版社,2013.10
(少年励志小说馆)
书名原文:Hound dog true
ISBN 978-7-5353-9665-5

Ⅰ.①玛… Ⅱ.①优… ②赵… Ⅲ.①儿童文学—中篇小说—美国—现代 Ⅳ.①I712.84

中国版本图书馆CIP数据核字(2013)第252797号
著作权合同登记号:图字17-2013-078

Hound Dog True

少年励志小说馆 **玛蒂的勇气**
Youth Inspirational Fiction Section

[美国]琳达·优本/著 赵 晖/译
责任编辑/罗 萍 叶 朋 文 佳
美术编辑/沈 霞 装帧设计/钮 灵
封面绘画/海德薇
出版发行/湖北少年儿童出版社
经销/全国新华书店
印刷/恒美印务(广州)有限公司
开本/889×1194 1/32 6.125印张
版次/2015年1月第1版第2次印刷
书号/ISBN 978-7-5353-9665-5
定价/13.80元

策划/海豚传媒股份有限公司(15060927)
网址/www.dolphinmedia.cn 邮箱/dolphinmedia@vip.163.com
咨询热线/027-87398305 销售热线/027-87396822
海豚传媒常年法律顾问/湖北豪邦律师事务所 王斌 027-65668649

成长的那些事儿

　　年少时，心里曾藏着多少成长的小秘密啊！那是怀梦的日子，也许曾梦想改变世界，却仍会在小挫折面前不知所措，不知道该如何突破自己；或曾想要环游各大洲，却只能在自己小小的世界里黯然伤神，不知道该如何找到最真实的自我；曾几何心怀大志，渴望叱咤风云，却总是感觉没有一个人能真正理解自己，不知道怎样做才能得到认可……那些成长的事儿，有时候连亲爱的爸爸妈妈也弄不清该如何参与进来，主角永远只是自己。那是一些只属于自己的故事，快乐过，伤心过，也哭过，也笑过！

　　"少年励志小说馆"系列是一套关于孩子自己的成长故事，孩子的渴望，孩子的秘密，孩子的困惑，都让人感觉那么真实，那么刻骨铭心。或许你的身边就有这么一个同学，甚至那个小主角可能就是你自己，成长的故事正在悄悄地发生着呢！

《玛蒂的勇气》是一个关于女孩成长秘密的故事，这个女孩名叫玛蒂，说她是"超级胆小鬼"绝对没夸张！为了生活，妈妈和她得经常搬家，她已经换过四所学校了。玛蒂讨厌新学校，她不敢面对新同学。当妈妈带着玛蒂搬到了儿时的故乡时，玛蒂一心只想成为舅舅的维修办学徒，这样既能避免每时每刻都要面对新同学的尴尬，或许又能让新同学对她另眼相看呢！为了获得"维修办学徒"的身份，玛蒂不停地记录着维修知识……这时，爱画画的昆西出现了，玛蒂很害怕，她并不认为昆西能成为自己的朋友。波奈特校长告诉玛蒂："如果你无所畏惧，就不会变勇敢。"这句话让玛蒂开始思考，她得做点儿勇敢的事情，她要鼓起勇气，让妈妈知道她讨厌搬家，告诉昆西自己的秘密。

　　也许，并不是每个孩子都像玛蒂一样胆小和有着某种恐惧症，但是很多小朋友都可能会像《看不见的美丽》中的小女孩阿德拉伊德一样，讨厌过自己难听的名字，或是觉得自己不够漂亮。阿德拉伊德刚搬到一个新地方，新的学校生活并不如意，同学们给她起了个讨厌的外号——"丑八怪阿德拉伊德"。这个该死的外号，让她觉得自己越来越丑陋。孤独的阿德拉伊德总是爱独自去绿灌木丛林散步，在这里，她认识了盲人男孩路易。阿德拉伊德为自己编造了一个很好听的名字，还告诉路易自己非常漂亮。而在《我有一个"姐姐"》中，小男孩迪欧也撒了个小谎。他曾经是老师的"宠儿"，是学校"雏鹰"小队令人瞩目的小队长。可是到了新学校，没人跟他说话，这让他感觉很孤单。于是，他为自己捏造了一个拍广告的漂亮"姐姐"，以引起同学们的兴趣。在这些故事的最后，阿德拉伊德告诉了路易自己的真名，因为在经历过很多之后，她发现自己能够坦然面对"难听的名字"了；而迪欧的谎言还是被识破了，但最终他用坦诚打动了同学，真正地赢得了同学的真挚友谊。在成长中，孩子们偶尔会去编造一些无伤大雅的小谎，但是正确处理事情的方式也许不太难，只要努力去尝试，运用智慧就能把事情做好。

成长中的很多事情，孩子们都要独自去面对，但是有时与智慧的长辈们进行交流，也能让他们得到很多人生的智慧呢。《我的知心奶奶》里的安娜贝尔，就有一位"知心奶奶"，她通过邮件与奶奶交流，告诉了奶奶自己的烦恼。在奶奶的帮助下，安娜贝尔试着学会理解和包容，去解决好她与最好的朋友之间的矛盾。

《蓝门里的雅各布》中的雅各布是一个怪小孩，爸爸的去世改变了他，他每天都生活在自闭的世界里，没有伙伴，上学迟到，上课心不在焉，经常幻想些并不存在的东西，一个人自言自语……妈妈和心理医生都尽力去帮助他，可雅各布达是举止非常"怪异",他会跟踪一个吉他手,把吉他手想象成自己的好朋友,因为他的爸爸就非常喜爱音乐。妈妈说服了偶像吉他手,让他去教雅各布学吉他,雅各布从此就开始了新的生活。其实,雅各布只是一个受了伤的小孩,他有点儿"自闭症"的特征,但是只要"对症下药",他也能找回自己的快乐。这样的孩子,更是需要关爱和更多的努力,才能引导他们走出人生的阴霾天。

每个孩子都会有很多很多的缺点,他们很平常,甚至是有点儿像"丑小鸭"。《丑小鸭男孩》的主角内特就是这么个男孩,家里有个优秀的哥哥,使得他感觉自己太差劲、不受爸妈重视。在学校里,他因身材矮小、身上有难闻的气味,而受到同学的排挤。但是,好朋友莉比知道,内特是个非常有表演天赋的小孩。为了证明自己,为了追梦,内特毅然一个人来到纽约,去参加自己最喜爱的戏剧的选角试镜。他的努力和执着,大家都看到了。内特也在"追梦之旅"中,发现爸妈一直都是爱自己的,他也更加认识到自己其实就是"白天鹅"。

这些成长的故事,没有惊天动地的"大事情",只是一些关于孩子的小故事。那些曾经感觉过不去的坎,那些让孩子垂头丧气的原因,那些使孩子不自信的小心事儿……只要去积极面对、合理调节,这些看似不和谐的小音符,与那些欢快的音符组合在一起,就能奏出一首美妙的成长曲。

波特拉克舅舅说，当他跟月亮说话，月亮就会回话呢。

妈妈摇了摇头，笑了起来。她说："波特拉克还是老样子。"但舅舅已经将帽子抓在了手上。他看着玛蒂，挑起眉毛，说："它是猎犬真（千真万确）！"然后便将门打开，向黑漆漆的屋外走去。

他们出了门儿，穿过豆子帐篷和番茄笼子，还经过石兔哨兵。玛蒂一路跟随着波特拉克舅舅的脚步，在花园的泥土上走着。他们走过枝藤交错的南瓜地，又走过斯维特小姐租住的后院。

"用不了几天，你对这儿就熟悉了。"波特拉克舅舅说，"就不用我带路了。"

玛蒂心里犯着嘀咕：这可不一定。这儿黑乎乎的，既没有街灯，也没有金拱门，更没有照亮夜空的车头灯。波特拉克舅舅是在这儿长大的，妈妈也是。就是独自走夜路，玛蒂可能还需要一段时间适应呢。

他们继续走着，走到树林边，来到苹果树旁一块平整的石头上。波特拉克舅舅抬头张望，玛蒂也抬头张望，就望向月亮应该出现的那个位置。波特拉克舅舅悄声说："你知道吗，她躲在黑夜妈妈的裙子后面呢。"

玛蒂当然知道啊！

波特拉克舅舅一个步子跨过了那块石头。"月亮小姐，"他将帽子放在胸口，说，"月亮小姐，快出来吧，亲爱的。"

波特拉克舅舅等待着，玛蒂也等待着。一阵微风吹来，将云吹散了。

"如果你想要月亮相信你，你就要相信月亮。"

他说着,把帽子递给了玛蒂。

玛蒂知道,他想要玛蒂跟月亮说说话。他想让她介绍一下自己,再说点好话,但是在这样漆黑的夜里,玛蒂一个字也说不上来。

她将波特拉克舅舅的帽子戴在头上,又看着它顺势滑下来。

玛蒂该说些什么能打动月亮的话呢?

1

火柴人被熠熠的闪电劈中了。在它的上方,几种不同的语言写着同样的内容:注意！不要在雷电交加的暴雨天使用梯子。这可能造成严重的伤害,甚至威胁生命安全。

玛蒂庆幸现在不是雷电交加的暴雨天,她可不想被熠熠的闪电劈中。当然,她只是站在梯子底下,两只手紧紧地扶着梯子,眼睛平视着警告标识,他们就贴在梯子的金属两侧。在梯子顶上的是波特拉克舅舅,他就像那个火柴人,所以很可能被闪电击中,然后死去。玛蒂想,自己只可能受重伤,而且她还想了一会儿那究竟会是什么样的伤。她知道,闪电能将树劈开。也许闪电也会把她劈开,她会断一条腿什么的。或者她的全身都会被烧焦,就像熨焦了的衣服那样。不管怎样,他们是在屋里,"这真好。"她对自己说。

真好,他们在这儿,也就是在米切尔·P·安德森小学里,在摩根夫人的五年级学生教室里。波特拉克舅舅说,开学之后,这间教室就是她的了。

真好,她又对自己说了一次。

她怀着这份美好的心情注视着"火柴人",没去打量成排的课桌、衣柜门,或是前面的黑板。她提醒自己,离新学期开始还有足足一星期呢,现在还没必要考虑这些事。

现在,她能做的只是帮助波特拉克舅舅完成他的清扫大计。

她可以稳稳地扶着梯子。

她可以想想重伤和死亡的事情。

"玛蒂，"舅舅说，"我托你接着这位光荣的'老兵'。"玛蒂将一只手从梯子上移开，接住了波特拉克舅舅递下来的电灯泡。这不是一个普通的电灯泡——不是火柴人一有好主意就会在头上亮起的圆圆的那种。它是一个长长的、瘦瘦的、能够发出剑一般的光芒的电灯泡。玛蒂每去一所学校，都能在天花板上看到这样的电灯泡。她之前已经见过三个了，算这个就是四个了。她一共上过四所学校。

电灯泡是灰色的。波特拉克舅舅把帽子放在胸前，低着头。"它用它的生命照亮了青春。"他说。

玛蒂微微笑了笑。她像波特拉克舅舅一样低下头。"谢谢你，电灯泡。"她说。因为身边只有波特拉克舅舅，所以她并不怕大声地说出来。

"把它放进盒子里，玛蒂。我们要把它带回维修办，然后让它好好地安息。"玛蒂点了点头，手松开了梯子。梯子没有摇晃，波特拉克舅舅其实并不需要人扶梯子。他在玛蒂出生之前就开始做清扫的工作了。

在教室前面,一个窄窄的盒子躺在摩根夫人的桌子上。玛蒂将电灯泡放下,然后小心翼翼地从那个盒子里取出了一个新的电灯泡。电灯泡如此洁白,几乎和黑板槽里放的白粉笔是同一种颜色。

她想到自己可能以后就会站在这儿呢。

老师总是会叫人站在前面。

每次玛蒂去一所新的学校,老师都会叫她站在黑板前面,说自己叫什么名字。只有上一次例外,那是她读四年级的时候,在丹吉罗夫人的课堂上。丹吉罗夫人用的是一块白板。丹吉罗夫人一边叫玛蒂站到白板前面,一边在上面用蓝色的记号笔写下玛蒂的名字,她的字胖胖的,像是在画圈。

"自我介绍一下。"

"我叫玛蒂·布琳。"玛蒂说。

"大声一点。"

"我叫玛蒂·布琳。"她又说了一遍，她说得更小声了。

"告诉我们一些你的事！"

跟每一个开学日一样，玛蒂的脑子里乱糟糟的，绞尽脑汁地想着该说些什么才好。她得说点聪明的、有趣的或者有意思的东西，让同学们都记得住她，那样她在吃午饭时就会有地方坐，课间休息时也有人陪伴。

玛蒂带着一个笔记本——这是她的第一个笔记本，颜色是黄色的——她把它当盔甲一样，放在自己的胸前，下巴藏在它的后面。她感觉自己呼出的热气被它挡了回来。

椅子下传来鞋子滑动的声音。

"害羞。"有人低声说。

"自大。"又听到有人喃喃地说了一句。

就在前一天，玛蒂看了一个讲和尚的电视节目，里面说和尚的呼吸又深又慢，似乎那呼吸能让时间停止，能让他们自己的心脏停止跳动。于是，玛蒂试着这样子呼吸。她慢慢地深吸了一口气，以防她的脸变红。

但是她的努力毫不起作用。

也许因为我不是个和尚，她想。她把这句话说出了口：

"我不是个和尚。"

这句话足够让丹吉罗夫人叫她坐下了。

玛蒂坐了下来。

丹吉罗夫人给圆桌加了一张椅子，于是她在圆桌前坐下，手里还握着她的黄色笔记本。

丹吉罗夫人说这个座位只是暂时的。

坐在一起的还有四个孩子，其中有一个女孩叫斯塔，玛蒂是后来才知道的。玛蒂只知道自己说了"不是个和尚"。

这不是那种大家听了就会纷纷跑去交朋友的自我介绍。

这话可不会让大家纷纷跑来跟她做朋友。

她知道不是这样交朋友的。真的，她都明白的。

她当然可以很友好。当她慢慢适应了这个新的地方，她就会变得友好了。但到那时才交心就晚了，要将秘密告诉朋友也晚了。即使是最好的人也会叫她"那个害羞的女孩"，而不是"玛蒂"。

不是个和尚。

不是个和尚。不是个和尚。不是个和尚。

几乎一上午，她都无法专心想别的事情。

终于，她的心安定下来。这时玛蒂瞟了一眼白板。她的名字在课程表和拼写的单词之间，显得既勇敢又友好。好像她是一节课一样。玛蒂·布琳勇敢而友好，好像5乘以5就等于25，或是weird(怪异)这个单词就是这么拼写的一样。

我是玛蒂·布琳，她想。

她坐直了身子。

我又勇敢又友好，她想。千真万确，就像白板上的那样。

那时,丹吉罗夫人开始上科学课。她在白板上写下 Survival(幸存)这个单词。她要继续写 of the (于),但她发现白板上已经没地方了。

"原谅我,玛蒂。"丹吉罗夫人微笑着说。

然后,"玛蒂·布琳"就被擦掉了。

2

波特拉克舅舅将新电灯泡安进灯座,然后盖上灰色的灯罩,并把它卡进了天花板上的老位子。玛蒂要移开身子,这样舅舅才能下来,但是她离舅舅的距离并不远,所以她听到他在下三级阶梯时叫了一声。

是舅舅不争气的膝盖让他叫出了声。每次爬楼梯、跪下的时候,或是坐着不动看电影时猛地起身,他的膝盖都会有微微的刺痛感。他已经安排好了手术,就在几个月后的圣诞假期。这也是为什么这次他们搬回波特拉克舅舅家——搬回舅舅和妈妈以及他们的兄弟们长大的地方的原因。这样玛蒂和妈妈就能帮上忙了。

"我全都计划好了，"妈妈说，"我在圣诞节有一些假，你也能安顿下来，适应新的学校。"妈妈的食指和中指一直在大拇指上跳动，这动作就像玛蒂见过的短笛手。只不过，吹笛人这样做时是在演奏音乐，而妈妈这样做时表明她在做决定，她的手指动得跟她的脑子一样快。"还有，我的老板脾气越来越坏，而且还有人在说下岗的事情。你也知道，环境越艰困……"

妈妈停下来，像以前一样等待着。等着玛蒂说："……硬汉越吃香。"玛蒂总会这样接着妈妈的话说下去，而听了这话，妈妈总会认为玛蒂觉得搬家也挺好的，不管玛蒂是不是真的这么觉得。而这一次，玛蒂可是真的为搬家感到高兴，因为这次搬家意味着她可以见到波特拉克舅舅了。

"玛蒂？"波特拉克舅舅将梯子倒下来，背在肩膀上。"你可以将'英灵'带上吗？"他的意思是让玛蒂将装着旧电灯泡的盒子拿上。

他们沿着米切尔·**P**·安德森小学的主干道走着，波特拉克舅舅在前，玛蒂在后。他走路时你看不出他的腿有什么异常。他只是走着，平稳而矫健，穿过饮水喷泉，穿过卫生间，穿过操场、主席台、餐厅。在行政办公室前，他停了下来，向镶着金框的波奈特校长的照片问好，然后他们又离开了，转了一个弯，向大堂的尽头走去。他们经过美术教室，又经过音乐教室，最后来到两扇橘红色的大门前，门上写着：维修办。这就是波特拉克舅舅办公的地方。

这是一间整洁的办公室，在热水管下面，有一张温馨的办公桌，墙上挂着小钉板。波特拉克舅舅把他的工具挂在墙上。每样工具的轮廓都用白线勾画了出来，就像电视剧里尸体周围会勾画白线一样，只不过尸体线是现画的，而波特拉克舅舅的线是早就画好了的,这样每一样物品都不会放错地方。扫帚放在扫帚的地方,扳手放在扳手的地方。那里甚至还有一个轮廓线是放波特拉克舅舅的帽子的,尽管那个地方通常是空的。

不属于墙上的物品会放在架子上,或者放在抽屉里,但无一例外,每一件都有自己的位子,它们被放得整整齐齐的:

螺丝钉

胶水

胶带

延长线

绳子

波特拉克舅舅的椅子也有一个标签,它的后面写着:维修办主任。字写得方方正正,整整齐齐。

妈妈也是一个爱整洁的人。但她的整洁不是

爱贴标签，而是喜欢扔东西，所以她所有的东西加在一起绝对不会超过一卡车。每次她和玛蒂搬家，装不下的东西就不要了。烤箱、电视托盘、玛蒂的旧玩具屋，全都被扔在车道旁，然后旁边竖着一个牌子，上面写着：免费。

玛蒂年纪更小的时候，她担心车里没地方了，便在一个箱子都没装上车之前，就先将自己扣在卡车里。她过去以为，她的爸爸就是这样，卡车里装不下爸爸了，于是妈妈就一个人开车走了。

真的，那时爸爸还太年轻，还不能结婚，所以他不得不自己独自离开。

玛蒂将贴着"维修办主任"标签的椅子往办公桌那一侧靠了靠，贴紧了，这样波特拉克舅舅就能将梯子放下了。然后她看着他将梯子归位。她看见一处地方写着"回收物"字样，那正是电灯泡的盒子应该放置的地方。

"玛蒂，"波特拉克舅舅说，"我觉得你很聪明，

非常适合这个学校，我要收你做我的徒弟。"她感觉
自己的周围就像被波特拉克舅舅画了一个胖胖的
白色归属线。

玛蒂·布琳

维修办学徒

3

那天下午，玛蒂从自己的衣柜里拿出一个银光闪闪的东西，带着它来到了波特拉克舅舅在山坡上的那块突石面前。现在那儿正是有阴凉地方的时候，但是一天的大部分时间，石头都暴露在阳光下，白天的热气也侵入到了石头里。玛蒂平躺在石头上，感受着它传到她小肚子上的温度。她将银光闪闪的东西放在面前。

它是一个笔记本。

银色的笔记本里面，装订着奶油一般白的纸张——要想撕一页下来，她得用很大的力气。

这是妈妈送给她的礼物。那是两周前,妈妈决定又要搬家的时候。妈妈说:"我想,你可以把自己的感受写在里面。"但是很快,玛蒂就知道,这个本子用来写感想实在是浪费了。而她也不再写故事了。自从认识斯塔之后,她就再也不写故事了。

然而玛蒂并没对妈妈这么说,她只是说了声"谢谢"。

而现在,她倒真有了些东西可以写在这个银色的本子里。

玛蒂·布琳,维修办学徒,她写道。

她的胃鼓动着,像妈妈的手指那样。这是她在做计划时的感觉。

***

这是法律规定的,玛蒂知道。

法律规定说,她必须去上学,必须学习分数,学习拼写，学习适者生存。但对课间休息出去玩，法律却没有规定。而且法律对午餐时间也没有规定。

而且法律也没有规定你必须与别人同时出现，然后挤在更衣室里，你可以去得早一点儿。

你的外套也不必非和别人的放在一起，你可以把它挂在别的挂钉上。

你的靴子也可以放在别的地方。

如果你乐于助人——那种真正的、学徒式的帮助——你可以在这些没有法律规定的时间去帮助别人。

玛蒂翻过一页，然后用她的手指沿着中线压平了本子。她的胃又鼓捣了一下。

"设备维修保养知识。"她写着。

在下面，她记下了各种各样学来的东西——设备维修保养的知识，要做哪些准备工作，等等。比如说用完了吸尘器，你应该马上将插头从插座里拔出来，并将电线缠好，免得绊倒他人。还有，你用拖把拖地前,应该怎么去摆放写着"小心地滑"的黄色锥形指示牌。

锥形指示牌上也有一个火柴人,跟波特拉克舅舅梯子上的很像,只不过这个火柴人有一条腿在半空中,而他的手臂旁边画着小小的弧线,代表手臂正在晃动。玛蒂想说他失足了,只不过他确实没有脚,只在腿下面有两个圆圈,做出仿佛要摔倒的样子。

玛蒂没有在本子上写下火柴人没脚的那一部分。她只写了严肃的部分——摆好指示牌,拖地,还有拖完地之后,应该回头检查一下,以确保每个污点都拖干净了,而且没在任何地方落下一块水渍。这都是不专业犯的错,波特拉克舅舅如是说。

玛蒂将这也写了下来:不专业犯的错。

她要更专业一些,不犯错误。她将在接下来的四天里继续记录和学习,她要像波特拉克舅舅一样专业,做一个名副其实的维修办学徒。她要证明,一旦学校开学,他就可以把她带在身边,而不是让她去吃午餐、下课去玩，反正别把她当成那种米切尔·P·安德森小学的野孩子。

这就是玛蒂的计划。

她要用四天来证明舅舅是需要她的。到了星期六，或是星期天，她就能和波特拉克舅舅谈谈做维修办学徒的事了。到了星期一，她就能向新同学好好地介绍自己了：

我叫玛蒂·布琳。

我是一名维修办学徒。

她能听见自己站在黑板前面勇敢而友好的声音。她一遍一遍地想着、听着，以至于忘记了周围的一切。

她没有发现有一个人上了坡，并向她走来。一个声音让她猝不及防：

"你在写什么呢？"

玛蒂从石头上跳了起来，滚到了草丛里，四脚朝天。她瞥见什么东西在闪光：她的银色本子在风中翻滚着，纸张飞了出来，落在地上。

她看见一只手想把它捡起，但是玛蒂动作更快。"这是我的。"她在心里大声叫道。

怦怦怦，她的心跳与她疯跑的腿一样快，她一溜烟地跑下了山坡，她的脑子里蹦出"停下"、"傻孩子"，但她并没有停下来，因为她的脑子里还蹦出"太迟了"、"太迟了"、"太迟了"。最后她跑回了家，紧紧关上了身后的房门，滑坐在地上，用本子抵着自己怦怦跳动的心脏。

4

怦怦怦。

怦怦怦。

怦怦怦。

玛蒂将厨房的窗户打开,透过花园,向山坡望去。

那儿站着一个女孩,一个个子高高的女孩。女孩看起来有十几岁,正站在波特拉克舅舅的石头旁,拿着一个黄色的工具箱,从山坡上怔怔地望向门廊。可能她八成在想那个刚刚消失在门后面的疯丫头。

"怎么了,玛蒂?我们又碰到强盗了?"波特拉克舅舅正站在火炉前，搅动着一个白色的高罐子，罐子里散发出马铃薯的味道。

"强盗？"玛蒂问道。

波特拉克舅舅用勺子敲着罐子的边儿。"强盗，"他说，"恶棍，海盗，劫匪，小偷。他们又出现了吗？"

玛蒂又看向窗外，那个十几岁的女孩正围着那块石头走来走去，不时地看一眼他们的院子。

"山上有个女孩。"玛蒂说。

"她是不是有一条假腿？"舅舅问，玛蒂忍不住笑了起来。

"不，她没有假腿。"

舅舅擦了擦额头上的汗，如释重负的样子。"可能是克里斯托尔的侄女吧。"他说。

克里斯托尔·斯维特租住在后面的房子里。她总是让波特拉克舅舅去她家帮忙检查恒温器，或者看看管子有没有问题，但她的真正意图是想要让波特拉克舅舅看看她。"斯维特小姐对波特拉克舅舅有意思。"妈妈说。

"你不在的时候,克里斯托尔来了一下,还特意问我可爱的外甥女在哪儿,因为她可爱的侄女昆西来了。"波特拉克舅舅说,"她说你们俩可以一块儿玩。"

"一块儿玩?"玛蒂的心怦怦怦地跳着。

"没错,她说你们俩可以一块儿玩。多棒啊!"波特拉克舅舅说。

山坡上的那个女孩——那个名叫昆西的女孩——已经将她的工具箱放了下来。玛蒂摆弄着门闩,她不好说昆西长得算不算很漂亮,但她知道昆西年纪不小了,她好像穿了胸衣。

玛蒂将她的笔记本抱在怀里。"我现在还不能跟人一块儿玩。"她说。不能跟昆西·斯维特这样穿胸衣的女孩。昆西现在又在向下眺望了,她八成在想:玛蒂真是年纪又小,长得又不漂亮。

波特拉克舅舅点了点头。"好了，玛蒂，"他说，"你想干吗就干吗去吧。我嘛，我非常放心，因为咱们院子里面没有强盗。知道我们的家当安全又保险，我就能睡得踏实点了。"

玛蒂将目光从昆西·斯维特身上移开。安全又保险。

玛蒂今晚也能睡得踏实点儿了。

5

玛蒂一直是个害羞的女孩,学校总让她觉得自己渺小又滑稽。她总得花上一段时间,才能和周围的人和事熟络起来。

但是,夜里她总是睡得很安稳。

直到四年级的时候,直到她碰到了斯塔。

玛蒂只跟她说过一次话,只说了一个词。

那是在更衣室里,就在丹吉罗夫人教室后面的砖墙后面,玛蒂坐在长凳上,长凳的一大半都被冬装外套遮住了。她将课间休息时穿的靴子脱下,换上了球鞋。斯塔没看见她，也没在找她。斯塔正在翻别人的外套口袋和背包，她将外套口袋和背包里的零花钱倒出来，放进了自己的口袋。玛蒂看见斯塔走向了自己的背包。她看见斯塔把背包的拉链拉上拉下，把最里层也翻开了，却没发现零花钱。她看见斯塔发现了自己的黄色笔记本，上面写着又大又红的秘密。

看着斯塔翻看自己的本子，玛蒂僵住了。她听见自己说："不，糟了，快跑，离开这儿。"斯塔怪腔怪调地念了几个词："害……怕，城……堡。"

斯塔读着玛蒂的故事。她一只手托着玛蒂的笔记本，另一只手指着字一行行地读着，然后翻页。

她知道了，玛蒂想。尽管玛蒂说不出斯塔到底知道了什么。总之是一些重要的事情，一些真事。

玛蒂屏住呼吸看着斯塔，等着斯塔抬起头，看见更衣室里的自己。等着斯塔看见她，等着斯塔读完她的故事，然后真正地了解她，等着之后发生的一切。

她可能会给玛蒂一些她偷来的硬币，或者问玛蒂愿不愿意把自己的午餐分给她，这样她就不用再去偷硬币了。

"拿着，走吧。"斯塔读着，然后停了下来，看着边页。

"魔……鬼。"她叫出了声。

"魔鬼。"这是玛蒂的声音。

于是，斯塔看见了玛蒂。她看了玛蒂一眼，好像玛蒂根本不存在，然后把玛蒂写着故事的那页纸用拳头压皱，又把它撕了下来，扔在地上。纸页落在冬靴旁边，融了的雪水将纸页浸湿，上面的字变得模糊不清。

"魔……鬼。"斯塔说。她又撕了一页扔在地上。一页接着一页，直到地上铺了厚厚一层的纸，而本子只剩下一根脊和写着"秘密"两个字的封面。斯塔将它们扔回了玛蒂的背包。

"魔……鬼。"斯塔说。而这个词开始有了魔力。魔鬼，魔鬼，魔鬼，斯塔越变越大，后来她的头顶到了天花板，身子充满了整个更衣室。而玛蒂知道斯塔能一口把她吞了。

6

那天晚上，下着雨。没有月亮。

玛蒂穿着睡衣，在夜里她可以这样穿。她不用去看自己的睡衣，她知道它们是淡蓝色的，还印着黄色的奶酪，上面有三颗老鼠形状的扣子。它们的名字分别是埃尼、咪尼、米尼。

最后一颗扣子——牟，很早就不在了。

"可怜的牟！"玛蒂说。

她的卧室是妈妈小时候住过的。里面家具的摆设总是变换来，变换去，但是她们搬回来以后，妈妈又把它们摆回了原来的老样子。将床推到了窗户下，将衣柜推到了远远的墙边。床刚摆好，玛蒂就爬了上去，交叉着腿坐着，看妈妈把房间其他的地方摆好。最好恢复原样，玛蒂知道。

玛蒂现在跪在床上，看着外面没有月亮的夜晚。

外面透出一些亮光。斯维特小姐今晚不用去医院工作，灯光照着她橘黄色的汽车，汽车就停在她屋子旁边的车道上。一束蓝光正在她起居室的窗前闪烁着。也许她和昆西正在看电视，看的很可能是玛蒂从没看过的少儿节目。

玛蒂的天花板也有一束亮光，它是从一个小手指那么大的洞照进来的。妈妈最开始在这个房间里住的时候，她的四个兄弟——索尼、罗伊、汤米和波特拉克，住在楼上的房间。他们在她的天花板上凿了一个洞，将一根绳子从上面穿了下来，并在两头各系了一个空罐。

男孩们的想法是，通过汤罐子与另一头的妈妈对话,他们这头说,妈妈那头听,反过来也行。不过一直都没有达到他们理想的效果。妈妈说:"人人都说个不停,根本没有人在听。"

现在,妈妈住在上面的房间,而玛蒂住在下面的房间。两个人都很安静。

妈妈吃晚饭的时候并不安静。妈妈告诉玛蒂:昆西·斯维特快12岁了——只比玛蒂大一岁,真的;她还没去过镇上别的地方——这点和玛蒂一样;克里斯托尔去上夜班的话,昆西不愿、也不能独处——就像如果妈妈去上夜班的话,玛蒂也不希望一个人待在屋子里。那么,玛蒂愿意陪昆西一起过夜吗?

玛蒂发现,妈妈的手安静地放在圆桌上,指头没有像吹短笛时那样跃动,也就是说,她没在做决定。如果玛蒂说"不",妈妈是不会很失望的。所以玛蒂拒绝了。

"不,谢谢。"玛蒂说。

昆西看起来超过了12岁。她很可能知道很多玛蒂不知道的有关过夜的事情，知道应该说什么，不应该说什么。也许昆西是那种来到你房间，在你面前换上睡衣，而你也不得不跟着她做的女孩。

不！

不能陪她过夜。

还有，玛蒂有别的事情要做。她已下定决心，她不仅要把设备维修保养知识写下来，还要把它们背下来。这样，就算是她的本子发生意外，她也有所准备。

玛蒂从衣柜顶层取出银色笔记本，打开了她从厨房抽屉里拿来的手电筒。她将本子靠近一些，默默地念着上面的字：

不要把拖把在水里放一晚上。

用水冲洗两次。

拧干。

在太阳下晒干。

她念着念着，妈妈房间里的灯关了。连斯维特小姐的电视也关了，不再有光线透出来。该休息了，玛蒂告诉自己，为明天好好休息。她轻轻地抬起枕头，将本子塞在枕头的下面，安安全全的。

她将封面朝上。她想象着本子里的设备维修保养知识像波特拉克舅舅的石头一样升腾起热气，穿过枕头，进入了她的身体，于是她的身体被各种她需要知道的知识装满了。

7

今天米切尔·P·安德森小学来老师了。玛蒂没想到老师会来这里，至少在这之前她没有想到。她以为老师要到下一周开学的时候才会出现。她以为就只有自己和波特拉克舅舅两个人在学校呢。

但是，现在就有老师来了，他们在维修办里询问着波特拉克舅舅的夏日生活。波特拉克舅舅告诉他们，他在一个后院的水塘里捉了条鱼，因此得了奖。他还告诉他们，七月份他在富兰克林郡参加一次烧烤活动，遇见了英国女王。"女王可真讲究，她吃排骨的时候都戴着手套，"他说，"猎犬真（千真万确）。"大家听他说着，都笑了。

老师们也讲起了故事，虽然大多都短小乏味。他们讲得很快，这样波特拉克舅舅就有时间讲他的下一个故事了。

有些老师提到了设备的保养维修，比如说打不开的窗户，有些需要移走的家具。玛蒂将这部分写在她的笔记本里，将接下来要做的事情写了满满一页。

"这位是谁呢？"老师们问。玛蒂看着本子没抬头，但是她知道老师们说的是她。

波特拉克舅舅也知道。他说："这是我的外甥女玛蒂·梅。下个礼拜，她就要开始上课啦，就在保拉的班。"

于是他们说："欢迎，保拉还没来，她星期五才到，真遗憾！很高兴见到你。"玛蒂回道："谢谢。"

老师们喜欢穿球鞋，他们都穿着白底带蓝或粉边的那种球鞋。有一位老师——男老师——穿着人字拖。他的脚趾上有头发。玛蒂很高兴自己不在他的班上，知道老师的脚趾上有头发好像不大好。

每一位过来的老师都说，波特拉克舅舅能有一位帮手可真好，而波特拉克舅舅每次都肯定了他们的说法。

这时一双高跟鞋噔噔噔来到了维修办的门口。

"我看你是个小作家吧。"穿着高跟鞋的人说，"我在你这么大的时候也总拿着一个本子，我在里面写了许多故事。"

玛蒂的心怦怦跳着，脑子里同时跳出"她怎么知道"和"已经不是了"两句话。

"玛蒂·梅，"波特拉克舅舅说，"这是波奈特校长。"

玛蒂想等波特拉克舅舅继续说下去，但他没有再说什么。

"今年你来了，我们都很高兴，玛蒂，"波奈特校长说，"我想跟每一位新来的学生一起吃午饭，也许那个时候你能给我读一读你的故事？"

玛蒂对着那双高跟鞋摇了摇头。"我没有故事。"她说。而波奈特校长并没有说："好好说，或大声点，或再说一遍。"她只是在那儿站了一会儿，好像玛蒂的话让她忘记了时间。玛蒂想象着，玛蒂希望她的话语有这样的魔力。

波奈特校长比照片里看起来要矮一些。照片里的她眼角有鱼尾纹，并用一只手轻轻撑着她的下巴，而眼前的她两手捧着一堆门把手。

"罗伯特，给办公室刷油漆的工人把这些取了下来，但是忘了装回去。你能帮忙装回去吗？"

罗伯特就是波特拉克舅舅，玛蒂一下子没反应过来。

"能，"他回答说，"什么时候方便呢？"他的声音听起来很有趣，这让玛蒂转过头看向他。他站在那儿，一本正经的样子，他的帽子在他的手里转动着。

"什么时候都行，不急，"波奈特校长说，"如果你不想工作的时候我打扰你，那你可以周四过来。周四早上我要参加一个职工大会，那时办公室里没有人。"

"周四早上。"波特拉克舅舅没有笑，也没有说周四要去马戏团驯狮子的事。他只是说："周四早上。"

波奈特校长噔噔噔从大老远来到维修办，把门把手亲手交给波特拉克舅舅。波特拉克舅舅没手接，于是他飞快地把手里的帽子戴在头上，但是帽子戴歪了。玛蒂看得出，他想把帽子戴正，无奈他的两只手已经捧满了门把手。"我期待咱俩一起吃午饭哦，玛蒂，你会给我讲故事吗？"波奈特校长说完，就噔噔噔走了。

维修办出奇地安静，好像波奈特校长除了把门把手放下以外，还带走了什么东西似的。波特拉克舅舅将门把手放在桌子上。他坐在贴着维修办主任标签的椅子上，椅子咯吱作响。"唉，唉，唉，"他打破屋里的沉默说道，"今天叫人分心的事太多了，我都不知道先干吗好了。我本打算干什么来着？"

玛蒂查看了一下笔记本，"三年级的窗户？"她回答道。

波特拉克舅舅扬起了一条眉毛，"你一直在做笔记？"

玛蒂点了点头。

"我能看一下吗？"

妈妈曾经要看玛蒂那本旧的黄色笔记本，但是她在玛蒂拿给她之前就又想着做别的事情去了。她也没给丹吉罗夫人或是其他人看过。斯塔曾经看过，但不是玛蒂拿给她看的。

玛蒂将笔记本放在桌子上，摊开了，好让波特拉克舅舅看看接下来要做哪些事情。而他看起来很高兴，她也给他看了看其他页，上面是关于厕所、火警器的笔记，还有学校有多少间教室。她还给他看了一页内容，是趁他收电子邮件时写的，写的是早上波特拉克舅舅用钥匙开门的吱吱声,还有开电灯的啪啪声,打破了整个校园的寂静。写的是他怎样检查一条条走廊,将它们唤醒,唱大逃亡之歌和嗒—嘟—嘟—嘟,甚至顾不上他疼痛的膝盖,在每条走廊跳起的舞步。

玛蒂没给他看扉页,那一页写着她的名字玛蒂·梅·布琳,名字下面写着:维修办学徒。

现在还没到时候。

波特拉克舅舅摸着自己的下巴,说:"看来现在我得注意自己的言行举止了,因为我知道你在为后人记录我们的维修保养工作。"

"什么是'后人'?"

波特拉克舅舅从贴着知识标签的架子上取出了一本字典。

"后人"就是未来子孙的意思。

既然手中有字典,玛蒂顺便查了查"维修保养"这个词。

字典里没提到什么门把手、拖把、漏管。它是这样说的：

照看或监管，而不是治疗。

还有：

防护或维护。

玛蒂喜欢照看学校的这个想法，保护它，让它安安全全的。

波特拉克舅舅拿起他的工具箱，问道："你来吗，玛蒂·梅？"

"马上就来！"玛蒂说。她写道：门把手，星期四。安全而端正。

8

　　一整天玛蒂都紧跟着波特拉克舅舅,看着他做事情,尽力为后人做着笔记。有几次她不得不将本子放在一边,然后帮着幼儿园装玩具屋,或是清理女卫生间的水槽。戴着橡胶手套很难将字写整齐呢。

　　工作结束后,她也紧跟着波特拉克舅舅。跟他在小货车里用收音机搜索电台,在花园里拔豆子,还在形状不一的小菜地里找寻垒球大小的南瓜。他们离得太近了,以至于波特拉克舅舅转过身来时直接将她撞向了石兔子,两个人都摔倒在了地上。

"玛蒂·梅,"波特拉克舅舅边说边在她后背推了一把,好让她站起来,"我想你可以休息一会儿了。"

"我不累。"玛蒂说,"反正也不是很累。"

波特拉克舅舅将石兔子摆到了右边,压低了自己的帽子。"接下来的事我必须自己一个人做。"他说道。

玛蒂以为他指的是洗澡,小脸变红了。但其实波特拉克舅舅是要为波奈特校长写一份报告。"我知道你肯定明白,伟大的作品需要踏实的工作。"

玛蒂点点头,她确实知道。她也有一些东西要写,那就是早些时候没来得及记下来的维修保养笔记。"好吧。"她说。

玛蒂将笔记本从枕头底下取出来,然后带着本子来到山坡上,来到波特拉克舅舅的那块石头上。她可以从那儿看见斯维特小姐的家——门都关着,窗帘也都拉上了。院子里很安静。

玛蒂在石头上平躺着,把本子也平放着。

维修保养知识：第二天

15 乘以 30 等于……

***

他们今天去了餐厅。得穿过餐厅才能走到外面的大垃圾箱跟前，而波特拉克舅舅有两箱垃圾要倒。

玛蒂想帮忙来着，她试着抓起一支手柄自己滚动垃圾箱，但是波特拉克舅舅不让她那么做。他说垃圾箱太重了，如果玛蒂用滚的方法，她会控制不住垃圾箱，然后被箱子压倒的，她的校服会全被压坏。玛蒂只好听话，帮波特拉克舅舅留意前方路况，如果路面有障碍，她好把它移开。

"我给你讲讲米切尔·安德森校餐厅，有些事你得知道。"波特拉克舅舅说。

他说得没错，有些事玛蒂得知道。

"每个星期二是披萨日，"他说，"那天人们总是吃得肚子浑圆，不得不解开皮带。米切尔·安德森小学的好吃鬼们喜欢吃披萨，他们总吃得一干二净，连拖盘上的面包屑都不剩。"

"意大利细面条和肉丸子也一样，有一桶呢。还有炸玉米饼，海鲜三明治，这些都有。"波特拉克舅舅换了个地方抓垃圾箱，又把它继续滚了起来。"每月的第三个星期四是土拨鼠肉日。德什米特厨师称之为'火鸡翅根'，但是我好多个星期三晚上都看见他带着捕鼠哨子和木棍子从外面回来。土拨鼠肉日的时候我们要两到三个桶。"

"那天我们要不要也带一袋子午餐来？"玛蒂问道。

波特拉克舅舅眨了眨眼。"主意不错。你帮我把那扇门打开好吗？"

玛蒂飞快地绕过他，然后打开了餐厅的门。餐厅真大，黄色的折叠式圆桌摆满了半个餐厅，紧靠着墙放着。有15张黄色的圆桌，每张圆桌的周围有大概 30 个座位。

***

……也就是 450，玛蒂在本子上写着。

450 个座位。看起来所有的加起来也够坐了，但是玛蒂知道情况并不是这样的。她知道，即使有一千个座位，你也可能找不到属于自己的地方。

9

"魔……鬼。"斯塔会说。

这不是欺负人。玛蒂去过的每一所学校,录像里放的欺负人都不是这样的。所以她不能告诉老师、校长,甚至是妈妈。他们会怎么想呢?毕竟斯塔只说了一个词。

一个带有魔力的词。

"魔……鬼。"斯塔会说。

然后玛蒂就会走开。就算本来身边坐的是很友善的人,玛蒂也会端起自己的午餐,换一张桌子坐下。或是离开秋千,在幼儿园的沙盒旁边坐下。反正会换个地方,远离斯塔想坐的那个地方。

只说了一个词。

***

"我说你好。"

玛蒂跳了起来。昆西·斯维特正站在波特拉克舅舅的石头旁边,两眼望着她。玛蒂很肯定她正望着自己,虽然玛蒂并没有看昆西的脸。虽然玛蒂看的是昆西·斯维特腿上跳来跳去的工具箱。

"你好。"玛蒂说。她的声音有些沙哑,就好像她的喉咙忘记了该怎样发声似的。

"我想着上来的时候走路的动静大一点儿,这样就不会吓着你了。"昆西说。昆西的声音并不沙哑。她四声平平的,很无聊的感觉,好像她之前已经说过无数次这样的话了,虽然其实并不是这样。

玛蒂滚下了石头，膝盖跪在草地上。她把她的笔记本放在腿上。"没关系。"她在心里说。但是还没等玛蒂说话，昆西又开始说话了："你在写什么呢？"

维修保养知识，玛蒂心里想。

没什么，她心里想。

她脑海里闪过几个带有魔力的词：我不能告诉你、不能给你看、走开。但是还没等玛蒂想好说哪一个，昆西又开始说话了，"你不知道吗？"

玛蒂耸了耸肩。她知道，只是……

"作家的瓶颈，对吗？我听说过。画画有一点好，那就是永远不会遇到瓶颈。"昆西把她的工具箱放在波特拉克舅舅的石头上。她还在上面放了一沓棕色的纸。"我画静态的东西，你想知道的全在这儿。"石头上还有一堆胡萝卜，石头上有些泥。"波特拉克说，要是我们俩等一会儿把皮削好，我现在就可以画它们。"昆西把面前石头上的泥清理了一下，铺了一张她的棕色的纸，膝盖跪在草地上。如果玛蒂坐得够高的话，她就能看见纸的边缘就在那一堆胡萝卜之上。最下面是一张印着一头戴草帽的奶牛的画，下面写着："老大"的小市场。

"克里斯托尔没有画纸。"昆西说。玛蒂的眼睛仍看着奶牛，但她发誓她听见了昆西转动眼珠子的声音。"我的意思是说，我当然自己带了些东西，但我忘记带我的速写本了。谁知道她连画纸也没有呢？"

玛蒂不知道，她不知道什么样的人会对自己的姑妈直呼其名。

昆西抽掉闩子，打开了工具箱。里面放的不是扳手、锤子，而是铅笔、颜料等各种画画用的东西。

"她把这些购物袋裁开，好让我在上面画画。"昆西把她的手指伸进盒子里，从里面拿出一些看起来像粉笔的东西。"购物袋还不错。我可以在上面画白色，而在普通的纸上你是不能画白色的。另外，我只在这里待几天。等我哥哥的手术做完之后，我就要回家了。你知道他不会死的。"

"我知道。"玛蒂说。她其实并不懂这样的事情，但是昆西的语气让玛蒂觉得她应该这么说。

"只是治疗疝气的常规手术。"

玛蒂觉得自己脸红了。她不知道什么是疝气，但是似乎如果你有疝气的话，你不会想让别的人知道，就像长了疣子或是考试考砸了一样。

玛蒂想等昆西继续说下去，但是昆西没有再说什么。那一堆胡萝卜挡住了玛蒂的视线，她看不见昆西画画，但是她能听见昆西用粉笔在购物袋上画画的声音。她还能听见波特拉克舅舅在屋里用锅碗瓢盆的声音。她听见斯维特小姐家的电视里正在播放的脱口秀节目，女主持人在鼓励人们去实现他们的梦想，并赠送给他们一台免费的制作冰淇淋的机器。

一辆卡车隆隆驶过前面的土路。

鸟在树上喳喳叫。

昆西一直在默默地画画。

现在玛蒂应该做些什么呢？

就这样离开，似乎不大好。和昆西聊聊她哥哥的事情，似乎也不大好。玛蒂可以假装去上厕所，但是她总得回来啊，也许她回来的时候，昆西已经画完胡萝卜了，然后开始问更多的问题。还是等她真的想上厕所了再去吧。

如果玛蒂把她的笔记本放平，那么昆西八成看不到玛蒂正在胡萝卜堆上写作，就像玛蒂看不见昆西在画画一样。

玛蒂重新把注意力转到维修保养知识上。

收垃圾的公司每周二和周五会来。

记得那个手臂上刻着纹身的人，波特拉克舅舅叫他查克·坎特罗尼——垃圾之王，查克·坎特罗尼说，如果他能找到垃圾王后，那他就满意了。

要写在维修保养知识里吗？她把它写了下来，以防万一。她还在想象垃圾王后会戴什么样的王冠，他们可能会喜欢什么样的宫殿。她还想象了一场皇家婚礼——真难想象，她几乎能闻到垃圾车的气味，垃圾车的后面还挂了一个新婚的标志。她还想象了垃圾接待台、舞蹈。参加婚礼的客人穿着破旧的衣服，其中一个人用纸巾擦着自己的眼睛，说着千里姻缘一线牵。

***

"女孩们！"波特拉克舅舅站在门廊上，用勺子敲着壶盖，"该把胡萝卜拿进来了。"

玛蒂抬起头，惊讶地发现自己原来没在垃圾婚礼上。她惊讶地发现自己坐在石头上，而昆西也坐在石头上，抬起了头。

苹果树的影子长长的，投在草地上。妈妈的汽车停在车道上。妈妈什么时候回家的？

昆西·斯维特眨了眨眼，她一直在微笑。

玛蒂以为昆西要回话，但是她什么也没说。她也没问任何的问题。她只是关上了自己的工具箱。

玛蒂也合上了自己的笔记本，一把抓起胡萝卜的顶部。沉默还在继续。玛蒂心想，这时候说话会打破什么东西的。她不知道昆西是不是也这么想。

她们走下了山坡，拿着胡萝卜，一同回屋去了。

10

"不愿意的理由呢？"妈妈问。

"我胃疼。"玛蒂回答说。她没有撒谎，她确实胃疼。每次妈妈问她昆西能不能来过夜，她都会胃疼。

玛蒂放下叉子，低下了头。她觉得妈妈在看着她，这是一种不一样的感觉，自从她们到了波特拉克舅舅家，这种目光就有了不一样的感觉。妈妈投来这样的目光，似乎是想读懂玛蒂的心思。如果妈妈知道玛蒂胆小鬼一样的心思，她八成会感到失望的。

所以玛蒂转而去想维修保养的事情。她打算想一个清洁的好办法,能不能将两种不同的清洁剂混合在一起,得到一种超级清洁剂,但事实上这样只能制出剧毒。你一边做着清洁,一边在想你让一切更加美好了,结果——你呼吸着,呼吸着,就被毒死了。

玛蒂想着这些,希望妈妈能把话题转移到其他的事上,但是妈妈的目光一直停留在玛蒂身上。

这时波特拉克舅舅问起妈妈的新工作,她才把目光转开了。

"挺好的,"妈妈说,"我现在感觉挺适应的。之前在医院的工作经验对我有点帮助,而不像我在圣安得烈的第一份工作,我跟你说起过吧,波特拉克?"

玛蒂没有听妈妈说起过这些。

"我搬出去不久,就怀孕了,那时候你还没有退伍。不管怎样,那时我找了一份工作,那是我人生中第一次坐办公室，我很担心会出错，然后把事情搞砸。那一整天下来，我只说了三个字，我真的非常害怕。"

妈妈害怕吗？玛蒂根本无法想象那是什么样子。她想象出一个房间，里面全是医生、护士和响个不停的电话铃声，但是只要玛蒂把妈妈放进场景里面，妈妈就把场面控制住了——接电话，给病人治病，医生和护士围绕在妈妈身边，向妈妈求助。

"那天晚上，我看了那个很老的电视剧《急诊室》，剧里的每个人都那么强大而聪明。还记得我们很小的时候常玩的那个叫扮家家的游戏吗，第二天，我自己就扮作《急诊室》里的一个角色。"妈妈大笑了起来，喝了一口冰茶。玛蒂一直沉默着，她希望妈妈继续说下去。

"我站得直直的，语气强硬地讲话，我皱起额头，表明我正在思考问题。结果你猜怎么着？大概过了一个星期，人们都认为我很坚强、很聪明。"

"你确实是这样的。"玛蒂说，但是这时妈妈飞快地起身把碟子放进水池里，碟子碰得咔哒响，她不确定妈妈听到了她刚才的话。电话响的时候，妈妈又飞快地起身，但是波特拉克舅舅离得比较近，他接起了电话，说道"你好，克里斯托尔""我们刚吃完""我们正在聊这个呢"——玛蒂知道他准备告诉斯维特小姐，昆西不能来过夜，因为他的外甥女身体不舒服。玛蒂其实是在假装胃痛。

***

黄昏时分和昆西在一起的感觉还不错，但等她俩一到厨房，昆西削土豆的速度就比玛蒂快了 10 倍。说话的速度也是，她跟波特拉克舅舅说起 7 月 4 日，说起她的爸爸杜伊·斯维特——斯维特卡车公司的负责人——去看棒球比赛，后来太晚了，需要派一个司机去接他，当他回到家时，她的妈妈——昆西叫她尼科莱特,而不是称呼她为妈妈、或者妈咪、或者阿妈—— 让杜伊睡在他的独木舟外,只给了他一张防水布做毯子。

听她说话也不烦人。昆西说话的语调平平的,就像石头落在水坑里发出的扑通声。平实,妈妈用了这个词来形容。

昆西一走,玛蒂就查了这个词。

平实:接近或依照事实的;朴实的;直白的或不带有情绪的。

到底是什么样子呢?讲一个故事,扑通,扑通,扑通,也不在意别人会怎么想?

***

就像妈妈扮成《急诊室》里的角色,玛蒂也尝试了一回"平实"。她笔直地坐在厨房的椅子上,让自己的声音也有种"扑通"的感觉。"她可以来。"玛蒂听见自己说。

"来干吗？"波特拉克舅舅看向玛蒂，他也听见了。

　　"来过夜，"妈妈咧嘴笑道，"玛蒂说，昆西今晚可以来这儿过夜了。"

　　波特拉克舅舅对玛蒂使了个眼色，像是在问："你确定？"但妈妈已经开始说："好孩子，今天太晚了，太晚了，不让她过来也太晚了。"

11

波特拉克舅舅走到了屋外，去收花园里最后几个番茄。

玛蒂应该去帮忙的。

她应该去的。

但是她没有，她悄悄溜回了自己的房间。如果她赶在昆西来之前，现在就换上睡衣，那她换衣服就可以不被别人看见。不必担心她是不是应该穿胸罩，或者她的内衣太小孩气了，或者还有什么她还不知道应该担心的事。

她扣上了睡衣的扣子。

埃尼。

咪尼。

米尼。

"可怜的牟。"

她能听到外面斯维特小姐像玻璃裂开一样的笑声，能听到汤米舅舅的摩托车在石子路上的轰鸣声。外面太黑了，以至于树木投下的阴影都看不见。月亮小小的，小心翼翼地挂在他们的头顶上。

"你好，月亮。"玛蒂说。她竖着耳朵等着月亮的回答。

什么也没有。

她可能得出去才能听得见。

如果不是因为昆西·斯维特要来，她就出去了。她会在岩壁上，与波特拉克舅舅一起听月亮小姐的声音。现在，玛蒂得待在屋里，听昆西"扑通"自己的事的声音，昆西很可能期待着玛蒂也会这么做。

斯维特小姐家传来关门的声音。

玛蒂踮着脚走到了走廊。走廊里黑漆漆的,所以她可以待在那里,就待在厨房的外面,而不被人发现。很快,太快了,她听到昆西·斯维特在外面"扑通"的声音,还有斯维特小姐的汽车发出的告别的轰鸣声。然后波特拉克舅舅开了门,然后妈妈走了进来,昆西跟在她的后面,而汤米舅舅跟在最后面。汤米舅舅有时下了班会前来拜访,他总是穿着他的消防员制服,问有没有吃剩的晚饭。

玛蒂赤着脚,把一只脚放在另一只脚的脚背上。她的两条手臂交叉着,环绕着自己。她不应该换衣服的。如果身边的每个人都没穿睡衣,那么穿着睡衣跟没穿衣服也差不多了。我应该换回来,她想着。但是她刚一移动,昆西就发现了她。

"你好,玛蒂。"昆西"扑通"着说。

妈妈朝她招手,示意她到厨房去。

每个人都在等着玛蒂。她不需要看到他们的

脸，就知道他们在看她。她要向厨房走多远，他们才会不再看她呢？一步？两步？也许她可以走到妈妈坐的那里。站在妈妈的椅子后面，这样大家就看不见她的睡衣了。

玛蒂深吸了一口气。

其实没有人真的在看她。这不是妈妈说的吗？大家都忙于考虑自己，谁会注意一个十岁多的小女孩呢？

一步，两步。然后快步地跑到妈妈的椅子后面。

妈妈说得没错。大家有自己的事情要考虑，根本没有人注意到她的睡衣。

"你好，昆西。"玛蒂说。

"你缺了一颗扣子。"昆西说。

12

　　克里斯托尔·斯维特出发去医院值班之前,感谢波特拉克舅舅代为照看昆西,但他其实没有照看昆西。他、妈妈和汤米舅舅在厨房里打牌,而玛蒂在客厅里看着昆西,感觉像是昆西盯着玛蒂看呢。

　　现在,昆西也穿上了她自己的睡衣,但那不是一般的睡衣。不是上面和下面都有对应的扣子、扣子形状是小老鼠的那种小孩儿睡衣。昆西·斯维特穿着一件大大的T恤衫,上面印着"斯维特卡车公司"几个字,还穿着一条骑车时穿的短裤。她有着十几岁的孩子的长腿,因而虽然她可以坐在自己的睡袋上面,但是她伸直的腿会碰到玛蒂的睡袋。玛蒂蜷缩在放枕头的那一头,她的腿抱在她的胸口处。她能感觉到自己的睡衣扣子压在自己的大腿上。

埃尼。

咪尼。

米尼。

可怜的牟。

"牟是谁?"昆西问。

玛蒂眨了眨眼睛。"什么?"

"你说可怜的牟,牟是谁?"

她说了"可怜的牟"?说出声了?

"平实。"玛蒂提醒自己,要不带情绪的。

"牟谁也不是。"她"扑通"着说,至少是试着"扑通"着说。她的声音不像昆西·斯维特那样不屑。她的声音像是一个孩子玩的机器人。玛蒂又试了试。"没什么,我的意思是说,它就是一颗扣子。我的睡衣上缺的那颗扣子。"玛蒂将小手指穿过牟的那个扣子眼。

"我看见了。"昆西说。

玛蒂等着昆西说些别的。

昆西没有说什么。

只是等着。

等着。

玛蒂应该说些什么。

"我给这些扣子都取了名字。"她说。猪头，宝贝。"那是我还小的时候，是很久以前了。"

昆西仍在等待。"埃尼、咪尼、米尼，还有牟，"玛蒂说，"只有牟掉了。"这句话听起来不是不带情绪的。"虽然我不在乎。"她说。

"如果你不在乎，你怎么会说可怜的牟呢？"昆西说。

怎么会？"因为习惯。"

"所以说你一直是这么说的吗？"

玛蒂看向厨房,向波特拉克舅舅发出无声的信息。问问我们要不要吃爆米花,她想。让我们过去打扑克。说房子着火了,我们要撤离。

　　汤米舅舅把他的牌砰的一声甩在桌上。"你的麻烦大了。"他对波特拉克舅舅说。

　　"我没有一直这么说。"玛蒂说。

　　"习惯是你一直做的事情。"昆西说,"就像我爸爸老是抽烟,即使是洗澡的时候也抽。还有我妈妈每次看见救护车都会划十字架。她并不信上帝了,但她还是会划十字架。这是她上天主教学校时养成的习惯。"

　　玛蒂点了点头。她又来了,这个昆西·斯维特。在浴室抽烟的秘密,上帝的秘密,她都平实地"扑通"了出来。玛蒂又学起了昆西的语气。

　　"我想说的是,我以前一直这么说。"

　　"为什么呢?"

　　"因为……"玛蒂想着牟。为什么它会在那里,为什么又不在了。但是昆西正盯着她看。

"真愚蠢，"玛蒂说，"只是我随便说说。就像有些人说该死的！真恶心！我说可怜的牟！你知道的，唔，可怜的牟！我碰到脚趾了！或是可怜的牟！我多希望今天不用上学！就是这样。"

"是吗？"昆西斜视着玛蒂，歪着她的头。

玛蒂咽了下口水，"是啊。"

客厅里有一个时钟。就在玛蒂的背后，她看不到它，但是她现在能听到它的声音，像是响亮的枪声。滴答，滴答，滴答，滴答。最后昆西说话了：

"你到底多大了？"

13

　　波特拉克舅舅说他们可以一起看场电影,然后昆西问:"你想看什么呢?"玛蒂说:"我无所谓。"这是那晚第一次玛蒂的声音听起来坚定而平平的,扑通,扑通,扑通,好像她是真的不在乎。但是在她的脑子里,一些别的词摇摆着,她多希望自己能说出来。

　　"对不起,牟。"

　　所以玛蒂等着。

　　她等着两碗爆米花被吃光,一场电影结束,还有昆西睡着了,打起了微微的鼾声。呼,呼,呼,已经三百遍了。汤米舅舅骑着摩托车离开了，波特拉克舅舅哼着熄灯曲，妈妈道了一声晚安。等到她可以确定，所有的人都已经睡着了。

然后，玛蒂悄悄地回到了她的卧室。

拿出了她的笔记本，写下了真相：

牟

作者：玛蒂·布琳

从前有一颗纽扣，它的名字叫做牟。牟是一颗老鼠形状的扣子，它被人用针线牢牢地缝在睡衣上。

睡衣的主人是一个女孩子，她不强大。晚上有时候她会很担心。当她忧心忡忡的时候，她就扭动着细线上的牟，直到她睡着。

牟并不介意。

有一天晚上，女孩睡不着。女孩很担心，很忧虑。她扭了牟很久。

第二天，睡衣送到了洗衣店。

年被放进了一台洗衣机，很多的水流了进来。其他的衣服推挤着它，年牢牢的线松了。

然后一切都开始旋转，年被冲掉了，被冲进了洗衣机的管子里。那里面又黑又吵闹。

年很寂寞。

它没有呼救，它知道没人能听见它的声音。

14

　　玛蒂戳了一下煎饼，她感觉自己的上下眼皮老是想合上。她打着哈欠。

　　她早早就起了床，趁着昆西还没醒来，赶紧换好了衣服。现在昆西也起来了，她正在玛蒂的房间里换衣服，而斯维特小姐坐在厨房的桌子旁，告诉妈妈再加点的咖啡，说昆西穿好衣服以后她们就马上离开，还询问了波特拉克舅舅在哪里，他的工作到底是干什么。

　　"他从来不和我说。"斯维特小姐说。

"波特拉克？"妈妈说，"你开玩笑吧。"

斯维特小姐扬起了手。她的指甲很长，是紫色的。"好吧，他说是说了。我的意思是，管他呢。他不是什么都说。你知道他昨天跟我说什么吗？"克里斯托尔·斯维特问妈妈。

玛蒂直起身子，也许波特拉克舅舅说了些玛蒂在学校帮助他的事情。

"他说他在军队的时候认识了一个会算命的人，那个人教会了他根据一个人啃玉米棒子的样子来推测这个人的未来。"

不是关于玛蒂的，但是玛蒂忍不住萌发了兴趣，她想知道她这样啃玉米棒子会有怎样的命运。

"那你怎么说的？"妈妈问斯维特小姐。

"我告诉他我不喜欢玉米。"

妈妈大笑，"对不起，克里斯托尔。"

"波特拉克也笑了。"斯维特小姐说。她显出一副苦瓜脸。

"再放点儿糖？"妈妈问。斯维特小姐的脸色恢复正常,从罐子里舀出几汤匙的糖。

"你能想到那姑娘已经长这么大了么,都快要参加舞会了。"斯维特小姐说着,并没有看见昆西从她的背后走来。昆西的头发编成了两股辫子,长长地挂在她的肩膀后面。她比看上去年纪要小,玛蒂认为。像是在学校剧里扮演小孩子的少年。

"舞会是什么？"昆西问。

"舞会是什么？"斯维特小姐笑出了声,"舞会是什么？是你人生当中一个很重要的日子!"斯维特小姐把双手放在昆西的肩膀上,把她领出了门。

"我有照片。"斯维特小姐说,"我等会儿给你看。"

"棒极了。"昆西说。

昆西说的可不是棒极了。"可怜的牟。"昆西说。

可怜的牟？玛蒂的脑袋昏昏沉沉的,直到门关上了,她才想出来昆西是什么意思。昆西的意思是该死的,真恶心。

妈妈把斯维特小姐杯子里的咖啡倒入水槽。"可怜的牟？"妈妈问。

玛蒂不想对妈妈说真恶心。她也不想告诉妈妈牟发生了什么事，因为她从来没有告诉过别人。以前，她不得不解释关于斯塔的事情。一想到"魔——鬼"这个词玛蒂就整夜睡不着，一直扭动着细线上的牟。女儿那么忧虑，妈妈会失望的。她的女儿不像她那么坚强。环境变得更加艰困，但她的女儿却没有变成硬汉。

所以她等啊等，希望永远都不用告诉妈妈。她现在就这样等着。

果然，妈妈很快得出了自己的答案。"你们两个讲闺中密语啊，这我没有意见。曾经我和我的朋友也讲密语。周围那么多男孩子，我们必须讲密语。"妈妈环顾着房间。玛蒂知道，妈妈是在想象它原来的样子，想象她的兄弟桑尼、罗伊、汤米还有波特拉克都在时，每一把椅子和墙角的样子。

"以前我和我的朋友在后院搭上帐篷，一起过夜。男孩子们在我的天花板上钻了孔之后，他们就可以监视我们了，所以帐篷是唯一安全的地方，"妈妈说，"你们也会喜欢的，对吧？一堆朋友，全挤在一个帐篷里，一夜都不睡觉，分享着秘密。"

玛蒂试图想象出一帐篷的朋友。她想象出一个帐篷的拉链拉着，女孩子们炸开了锅。她忙着想象这个场面，几乎没注意到妈妈的短笛般跃动的手指。直到妈妈突然从桌旁站起来，冲下地窖的楼梯。玛蒂能听见盒子在水泥地板上滑动的声音，橱柜吱吱打开。一个沉闷的声音，"玛蒂！来帮助！"

玛蒂来帮忙了，妈妈把一个袋子的一头递给她。她和妈妈刚把它搬上楼，拖到外面的草坪上，妈妈就解开了它。里面是一捆皱皱的尼龙布，上面有一些洞、绳子和塑料桩。"我的旧帐篷。"她说。

妈妈很快就把帐篷支了起来，甚至都不用锤子，直接用她的鞋后跟把帐篷的塑料桩当当当敲进了土里。而玛蒂在花园里找了块石头,用它完成了同样的工作。

帐篷的线缝处有一些标签,闪闪发光。每个标签上都写着警告,有一个火柴人告诉你所有与帐篷有关的禁忌,比如把帐篷支在悬崖边上,或是在帐篷里生火,或是把帐篷和电线搅在一起。妈妈说,帐篷是唯一安全的地方。但对火柴人来说,肯定不是这么回事。

"很遗憾你在这个家里结识的第一个朋友跟你上的不是同一所学校。"妈妈说。

起初,玛蒂不知道妈妈是什么意思。后来她懂了,妈妈指的是昆西。

妈妈认为昆西·斯维特是玛蒂的朋友。

15

　　迪亚兹·史密斯太太打电话到波特拉克舅舅的办公室，说她的教室外的饮水喷泉漏水了，这时玛蒂才意识到她把这事忘了。她一直忙着帐篷的事，还在想妈妈说得对不对，昆西到底是不是玛蒂的朋友。这时波特拉克舅舅说该工作了，玛蒂一下忘了把她的笔记本藏进枕头。

　　她今天得多加小心。她得记住每一件事，等他们回家之后，她要把它们写进她的笔记本。

　　"你能把桶从架子上拿下来吗，玛蒂·梅？"波特拉克舅舅说。

"检查漏水得带一个桶。"玛蒂自言自语道。她记住了。

他们走在米切尔·P·安德森小学的走廊，波特拉克舅舅哼着歌，玛蒂想象着他们将检查出哪里漏水。也许漏了很多，像洪水一样，浪让书桌上下摆动，书被泡成了纸浆，而迪亚兹·史密斯太太在孤岛一样的转椅上，抓着她的电话，等待波特拉克舅舅来救她。

如果出现那样的漏水事故，学校肯定会停课。

但是当他们到达了饮水喷泉，玛蒂只看见地砖上溅了几滴水，而迪亚兹·史密斯夫人根本没在教室。她留了一张纸条，说她去参加课间安全会议了。

"你看起来很失望，玛蒂·梅。"波特拉克舅舅弯曲膝盖时，膝关节又疼了。他拭去溅出来的水，躺在喷泉下面，检查着管子。"最好趁问题不大的时候就解决了，免得问题越来越大，到时就不好补救了。"

趁问题不大的时候就解决了，免得问题越来越大，到时就不好补救了。她也会把这点写下来。

"你们要维修这个吗？"

玛蒂在波特拉克舅舅旁边躺下，看着喷泉的管子。在大弯管的底部有一个瘦瘦的、像银手镯一样的东西。它的周围有水珠冒出来。玛蒂猜测就是这里漏水。

"一流的维修直觉，"波特拉克舅舅说，"现在，滑出去。"

他用一个红色的管子钳上紧了螺栓。"首先，"波特拉克舅舅说，"我们关闭水闸。然后，请把桶递给我好吗？"

玛蒂将桶滑向波特拉克舅舅，他把桶放在弯管的下面。

关闭水闸，把桶放在管子下面。

"然后我们把水抽干。"波特拉克舅舅转向一颗小螺母，弄松了银手镯管。水飞溅到桶里，一同飞出的还有一些黑色的东西，看起来像是死掉的虫子。

"现在好了，垫圈坏了。"波特拉克舅舅说。

"怎么坏的？"

"垫圈。就是管子接头处的小橡胶圈，密封用的。工具箱中有一包新垫圈。"波特拉克舅舅把银手镯管递给了玛蒂。八成应该扔掉，但玛蒂把它戴在手腕上。

垫圈一袋有十个，但波特拉克舅舅只需要一个。其余的又递回给了玛蒂。

它们很有弹性，她把一个垫圈戴在手腕上，垫圈和手镯管碰在一起，反弹了回来。

看起来不错，像一些女孩戴的友谊手镯。玛蒂戴上了第二个垫圈，然后戴上了第三个，然后第四个，直到九个垫圈都戴上了，一直堆到了她的手肘。

如果有那样多的朋友会怎么样？

"看起来真优雅。"波特拉克舅舅说。

玛蒂觉得自己脸红了。哪个维修办学徒会在学习检修漏水喷泉的时候幻想有一大堆的朋友围坐在自己身边？

"我刚才在看……我……"

"你知道，美国维修小姐在 2008 年海选时只戴了这样一套饰品。她是个杂耍演员。"

"是个什么？"

"杂耍演员。她能同时抛转五个球。"

玛蒂咧嘴笑了，"你在开玩笑，对吗？"

"如果我没记错的话，她还唱着《别不相信》。"

现在玛蒂大笑起来，"她才没有呢。"

波特拉克舅舅举起一只手，像是在发誓他说的是真的。"猎犬真（千真万确），"他说，"当然，唱的是不插电版的。"他想保持严肃，但他也咧嘴笑了。

"很抱歉，这些垫圈得拿回维修办。"他边说，边把管扳手放回到他的工具箱。"它们还可以用，而且是米切尔·P·安德森小学的财产。"

玛蒂将垫圈从她的手臂上一个一个取下来。它们不是真的友谊手镯,她提醒自己。

她把手镯管也取了下来,但波特拉克舅舅阻止了她。"这个就归你啦。"

手镯管的边缘有一些漂亮的斑点。之前所有垫圈都戴在手上时,她没有注意到这些斑点。

"手镯很漂亮,玛蒂·梅。可能你需要一个。反正现在归你了。"

她不知道它算不算维修保养知识,但她知道,回了家之后她要写下来。

可能你需要一个。

16

"回家了，回家了。"波特拉克舅舅把小卡车开上
了碎石路，她忍不住张望。她的目光扫过帐篷，看向
岩石。她想看看昆西·斯维特是不是在上面等她。

她没在。

"很好。"玛蒂一边自言自语，一边转动手腕上
的手镯。

波特拉克舅舅停车时，昆西没有从斯维特小姐
的家里跑出来，这很好。她没有冲到卡车前说："我
在等你。"或是说："你不在我真无聊。"甚至是说，

"可怜的牟,真是漫长的一天。"

很好,因为玛蒂要去写维修保养知识。还因为她还没想好该回什么话。

太阳暖暖的,还有微风吹过。她要拿着笔记本到石头上去。如果昆西·斯维特不想过来打招呼,那么她会看到玛蒂像昨天一样忙着写东西,或许她就会开始画画,反正那样她们就不必对话了。

玛蒂经过妈妈的帐篷、石兔和波特拉克舅舅,进屋去拿她的笔记本,而波特拉克舅舅走向了花园。她还没走到她的房里,门就关上了,她听到另一扇门打开的声音,那是克里斯托尔·斯维特的门。

她不想看,但她还是看了。她转头从厨房的窗子望去,她想看看昆西·斯维特是不是过来了。可是没看见昆西·斯维特过来,而是看见她奔向克里斯托尔·斯维特的汽车,然后在车后面弯下身子。

她听到拍打车门把手的声音。"克里斯托尔!"她听到昆西喊,"车锁着呢!"

过了一小会儿,斯维特小姐踮着脚尖走了出来,她穿着闪闪发光的鞋子,头发弄卷了,一弹一弹的。她涂了紫色的眼影,没涂肉桂色口红,而是涂了糖果色的指甲油来搭她的裙子。

"嘿,波特拉克。"斯维特小姐说。

"你不冷吗?"波特拉克舅舅说。

斯维特小姐抚平她糖果色的裙子,看起来她也不知道冷是好还是不好。

"我陪我侄女去玩儿。"她边说边朝车的方向挥了挥手。然后她转头看向昆西,看向昆西站的地方。"我们叫上玛蒂,好吗?"玛蒂听到斯维特小姐说。

她感觉纱窗挨着她的脸,上面有一股锡的气味,那时斯维特小姐的车还停在车道的那一头,路的那一头。

玛蒂把身子探出窗外,侧耳倾听,她还在听。后来昆西和斯维特小姐都远远离去,她还在听。她等着听那句"好的",但到最后也没听见。

"昆西没说'好的'是有原因的。"她对自己说。不一定是因为昆西认为玛蒂太幼稚或者无聊，可能是昆西和斯维特小姐要去办一件急事。可能她们要去商店买一些私人物品，甚至有可能她们是出去给玛蒂买什么东西，虽然玛蒂不知道那会是什么东西。

但当她走进自己的卧室，她明白这些都不是昆西·斯维特没说"好的"的原因。

玛蒂的笔记本在床上。没有藏在她的枕头下面，而是摊开放在床上，翻到了前一夜她写的那一页，关于牟的事情。

玛蒂之前是藏好的。她确信她把本子放在了枕头下面，安安全全的。早上换衣服的时候，她还检查过。

但现在它在外面，翻开着。

可怜的牟，昆西今天早上走出玛蒂的房间时还说。可怜的牟。

不是该死的,不是靠。

玛蒂把愚蠢的手镯管从手腕上摘了下来,她揉了揉它留在皮肤上的锈迹。

昆西·斯维特偷看了她的笔记本。

所以她没有说"好的"。

17

昆西知道了，玛蒂想。她认为斯塔也一样，她也是知道了。

她们知道了什么呢？玛蒂还是说不出来。里面没什么可怕的秘密。故事里并没有什么，只是故事罢了。它们来自于她的内心世界，所以它们很重要。

"她知道了，"玛蒂想，"而且她不想跟我做朋友。"

波特拉克舅舅正在花园里唱《漂流瓶之歌》，唱着发送求救信号。

她应该去帮他，帮帮花园里的舅舅，而不是想故事、朋友之类的蠢事情。

玛蒂合上了笔记本，往枕头下一扔，跑出了房间，跑过大厅，到了花园。

"是你吗，玛蒂·梅？"波特拉克舅舅四下窥视着玉米秆。

"我出来帮忙的。"玛蒂说。

"现在没什么要做的，我们快把玉米收完了。我想明天我们要办一场玉米盛宴。邀请克里斯托尔和昆西，不用邀请汤米，他自己会来的。听起来不错吧？"

"不！"玛蒂心里想。

波特拉克舅舅又把他的帽子戴上了。玛蒂知道，他想好好看看她，但她低下了头，脸朝着花园的泥土。"你确定不用我帮忙？"她问。

"地上有些零星的杂草，你帮我拔掉吧。"

玛蒂快速地点了点头，"哪些是杂草？"

"跟我来。"波特拉克舅舅带她走到玉米地边上，将土里一片细长的黄色草叶指给她看。他跪下，并把它拔了出来。他叫了一声。

玛蒂像波特拉克舅舅那样跪下来，也叫了一声。

"你学得有模有样，玛蒂·梅，但你的膝盖又不疼，所以最后那个不用学。"波特拉克舅舅坐在草地上。"你开始除杂草吧，我来监督。"

没有太多的杂草要拔，她两分钟就可以拔完。也许三分钟，但她不想这么快拔完。她不想想其他的事情，只想帮波特拉克舅舅的忙。

"你的膝盖为什么会疼呢？"她问道，希望听到它背后的故事。

背后真的有故事。

"斯特拉。"波特拉克舅舅说。

玛蒂知道，波特拉克舅舅有很多女朋友，其中有一些都被他弄疯了。但是她无法想象哪个被他弄疯的人会弄伤他的膝盖。

"斯特拉，斯特拉，斯特拉，"波特拉克舅舅说，"美国军队里最懒的狗。"

"狗？"

"没错。斯特拉差点儿死了，得救后她成了一条警犬，后来她被送到金卡德堡，我和我的警察同事们训练她扫雷。但是斯特拉和别的狗不一样，她没把扫雷这项光荣使命当回事，而只想着睡觉。胡萝卜地那儿还有一根杂草，看到了吗？"

波特拉克舅舅指向一根又短又细的杂草。它快死了，但不管怎样玛蒂还是跑过去拔了它。

"我的上司说，斯特拉缺乏主动性，所以要加倍训练。你知道的，我得听上司的建议。但我没管那天晚上的天气预报。斯特拉的训练肯定会在暴雨来临之前结束的。我在一朋友身上喷了点'老香料'香水，然后叫他去附近的树林里留下气味。半小时后他回来了，告诉我他在树林里转了一圈，路线很简单，所以就算是斯特拉这样没有斗志的猎犬，也能闻着味道找回来。

"这一周已经下了好几次暴雨，树林里也很泥泞。起初，斯特拉似乎还能嗅出路线。但一个小时的徘徊之后，我知道她迷路了。而且，我不好意思说，我确实不好意思。这时下起了暴雨，而且电闪雷鸣。"

"闪电？"玛蒂问。

"还打雷，我很快就发现我的猎犬同事特别怕打雷。打一声雷，她便开始飞奔。我跟在她后面追，在泥里打滑，几乎拉不住她，这时砰的一声！地陷了下去，我的右腿深深陷入了一个鼠洞。我的左腿还没有反应过来，继续追赶着斯特拉。

"我就不跟你描述当时的痛苦了，也不提当时骂的脏话了，但我告诉你，我叫喊着，咒骂着，还松开了斯特拉，于是她跑进了树林——"

这时响起了嗡嗡声，波特拉克舅舅拍了拍他的衬衫口袋，寻找他的手机。

"因此你的膝盖受了伤。"玛蒂帮波特拉克舅舅把话说完。

"维修办，"他对着电话说，"在我的笔记本电脑上。"他边说边朝屋里走去。"等一下。"

"可怜的波特拉克舅舅，"玛蒂想，"想帮助一只狗，却把他的膝盖弄伤了。斯特拉也很可怜。"

玛蒂在萝卜地里拔了一根杂草，又开始寻找下一根。可是没有杂草了，她没得拔了。

如果她是妈妈，她会说环境变得更艰困了。如果她是妈妈，她会是个硬汉。

但她应该怎么做呢？她不能跟着波特拉克舅舅，不能把这写进她的笔记本。她不想回房间，或是进到帐篷里，或是去山坡上的石头那儿。她只能站在那里，手握着杂草，哪儿也没去。

不看！不看！不看斯维特小姐刚才停车的地方。

18

后来,斯维特小姐从一个餐厅打来电话。

她告诉波特拉克舅舅,她和昆西正在吃饭。

她说她们玩得很开心。

她明天不上班,所以昆西不用去过夜了。

"没关系。"玛蒂说。

没关系。

今晚该睡了,因为她累了。而昆西最后没有来,也没关系。

那天晚上,玛蒂的手指紧紧地抓着米尼。

“没关系。”她对米尼说。

她很小心地没去扭米尼。

她很小心地没长时间扭米尼。

然后天就亮了。

19

今天是星期四。

"门把手日。"波特拉克舅舅说。

玛蒂推着清洁车,听着它的轮子在地砖上发出喀拉喀拉喀拉的声音。她跟着波特拉克舅舅穿过米切尔·P·安德森小学的走廊,到了行政办公室。车上有一个垃圾桶、一台吸尘器,还有放喷雾瓶的架子、纸巾和清洁用的东西。吸尘器很高,所以玛蒂有时得探出头去看波特拉克舅舅,有时她可以蹲在它后面,不让波特拉克舅舅看见自己——比如需要打哈欠的时候,每喀拉 12 声她都得打一次哈欠。她又探头看了看,正好波特拉克舅舅示意她停下来,以便他向波奈特校长的照片问好。

这次玛蒂也问了声好。

"玛蒂·梅,"波特拉克舅舅说,"我希望你不要把这个细节写进维修保养知识。要是波奈特校长知道我一直向她的照片问好,她会想歪的。"

玛蒂点了点头。

"而且似乎我一个人问好就可以了。因为这样才礼貌。"

她没问礼貌是什么。她不想让波特拉克舅舅觉得她还有一些维修保养知识不懂。

今天是绝对不允许她出错的。

就是今天,她已经决定了。

她不要等到周末了。今天她要努力工作,把所有的事情做得好好的,然后今天结束的时候,她要跟波特拉克舅舅说说她维修办学徒的计划。

他会说这是个好主意,他会说她不用管午餐和课间休息了,她应坚持对维修保养事业的追求。

一切都会很好的。

波特拉克舅舅还在说话。"集中注意力!"玛蒂提醒自己。

"我知道你有自己的主意,"波特拉克舅舅说,"但是我很高兴你不会把我问好的事记在笔记本里,万一落入坏人之手就不好了。"

玛蒂没有去想坏人之手。她想的是波特拉克舅舅的手,她看着波特拉克舅舅用手把钥匙从他的口袋里掏出来,一把一把地试,直到终于有一把打开了行政办公室的门。

大门上有一个把手。应该是里面的门没有把手,玛蒂想。校长办公室的门、储藏室的门、护士室的门。

玛蒂把车喀拉着推到行政办公室的地毯上,小心地停在了接待台的位置,这样就不会有人撞到它了。装好门把手之后她和波特拉克舅舅会打扫这里。吸尘,擦窗户。

现在,波特拉克舅舅叫了一声,跪在护士室的门前,打开工具箱,准备安门把手。

护士室里有一张沙发。她站在波特拉克舅舅的身后就可以看见。她不累,她提醒自己。

"我们可以开始了吗?"波特拉克舅舅问。

玛蒂的笔记本翻开在"牟"的那一页,但她迅速翻到了一张空白页。她把波特拉克舅舅做的事都写了下来。

有些门把手的后面有柄,而有些是平的。玛蒂看着波特拉克舅舅是如何把有柄的门把手放进门把手洞,然后把平的门把手放在另一侧。她把这些记了下来。还有他如何用三颗螺钉将其固定住。

"然后呢?"玛蒂问。

"还有最后一步,玛蒂·梅,我需要你帮忙。"

玛蒂放下了她的笔记本。在衬衫上擦了擦手。

"好的。"她说。

波特拉克舅舅示意她到护士室来，然后关上她身后的门。

她站在那里，想知道需要她帮什么忙。

"好了，现在，"波特拉克舅舅说，"开门。"

玛蒂转动门把手，拉开了门。

"开得真好。"波特拉克舅舅微笑着说，但玛蒂没有笑。

需要她帮着开门？

波特拉克舅舅的手机响了。波奈特校长让他去教师休息室回答地板抛光安排的问题。"嗯，"他严肃地说，"当然。"

"玛蒂·梅，校长叫我过去，但我会回来的。你可以去躺一会儿，你看起来累坏了。"

"我可以和你一起去，"她说，"我能帮你。"

"休息一下，"波特拉克舅舅说，"我知道我自己能处理的。"

波特拉克舅舅把护士室的门半掩上，然后走了。

***

玛蒂也知道他可以自己处理，他可以自己处理所有的事情。但如果他什么都能自己做，那她还怎么向他证明他有多需要一个学徒？

玛蒂穿过半掩的门，看见了清洁车。她可以做清洁呀。波特拉克舅舅去开会的时候，玛蒂正好可以帮他。

玛蒂快步走向吸尘器，把它放到地毯上，拿起电线，把一头插到行政办公室门后的插座上。玛蒂把吸尘器放在波奈特校长室接待桌后面的椅子下面，把可以够得着的每个角落都清理了起来。

终于大功告成。

玛蒂回头看着自己的杰作。

地毯看上去和之前完全一样。

她自己都不敢相信已经把整个房间打扫干净了。如果波特拉克舅舅知道了,玛蒂这是帮了他多大的忙啊?

　　她向后斜靠了下,用疲惫的头轻叩着波奈特校长办公室的门。

　　她可以安装门把手! 到时波特拉克舅舅肯定会看到她做的这些的。

　　玛蒂把波特拉克舅舅的工具箱拖到校长办公室,翻阅了下她的笔记本。

　　有柄的门把手从洞里穿过去,平的门把手在另一侧。

　　拧紧螺钉,一圈,两圈……玛蒂照着笔记上说的一步步做,先把有柄的门把手放进门把手洞,然后把平的门把手紧紧固定在另一侧。安上一个螺丝,绕几圈直到把它拧紧。如果她动作快的话,她会赶在波特拉克舅舅回来之前安装好的。

　　波特拉克舅舅会为她感到骄傲的。他会说:"做得太棒了，如果你下学期开学离开这儿，我可怎么办啊？"那时玛蒂就会把自己的计划告诉舅舅。

玛蒂想象着舅舅脸上充满欣慰的表情，想到舅舅会把她带到维修办，给她看已经为她(玛蒂·梅·布琳)做好的专用坐椅，椅子背面印着"维修办学徒"。

最后一个螺丝也拧好了，她现在只需试一下就行了。

玛蒂左右转动着把手，看着锁舌从门的一侧钻入钻出。她又走到门外试了试，上面还有一个锁按钮，她按下按钮，把手就不转了，说明锁很好用。

最后一试，也是玛蒂最擅长的。

她快步走进校长办公室，关上门。

吸尘器的电线却被紧紧卡在了门下面，玛蒂得用力把它拽出来，门终于咔的一声关上了。

"现在看玛蒂·梅·布琳——维修办学徒的了。"玛蒂说。但当她转动把手时，把手没动。

她想起她之前按下了锁，而按钮在门的另一侧。

她把门把手装反了。

玛蒂·梅·布琳把自己锁在了校长办公室里。

20

只过了一会儿，玛蒂却感觉像是过了几天、几周似的，直到她听到波特拉克舅舅在校长办公室外面低声唱歌的声音。

她不得不大声呼喊，说她把自己锁在了里面，非常需要帮助。她如此熟练的开门技术怎么会失败了呢。

门打开时，波特拉克舅舅的声音听得更清楚了，他大声唱着歌打电话。

"波特拉克舅舅。"玛蒂说，声音很小，即使她大声喊,在当时那种情况下,波特拉克舅舅也听不到。一瞬间,吸尘器朝着玛蒂弹了过来,砰的一声,像破旧的吉他声,又像可怕的撞击声,紧跟着是几句玛蒂常在电影里或者操场上听到的咒骂,骂得太难听了。

玛蒂不用看就知道发生了什么,波特拉克舅舅被卡在办公室门下的吸尘器电线绊倒了。

"波特拉克舅舅?"玛蒂喊着,"你没事吧?"

长时间的沉默。

玛蒂听到一声叫声,又一声。"玛蒂·梅,"波特拉克舅舅叫着,"我摔到膝盖了,我需要你的帮助。"

他需要玛蒂的帮助。

波特拉克舅舅真的、确实需要她。

可是玛蒂什么忙也帮不上。

＊＊＊

最后是波奈特校长帮了波特拉特舅舅。校长给波特拉克舅舅回电话后,赶回办公室,把舅舅扶起来,挽着他朝她的车走去。

波奈特校长为了玛蒂又回到办公室,轻轻敲了下自己办公室的门,然后把门打开了。

"对不起。"玛蒂说。

"他会没事的。"波奈特校长说。

玛蒂点点头。她走向吸尘器,把电线缠起来,她早就应该把它缠起来了,如果她是一名真正的维修办学徒,她早就该这么做了。

"我会叫人来清理的,"波奈特校长说,"现在我们带你舅舅去看医生。"

医生!波特拉克舅舅需要去看医生。她想象着,维修办里,舅舅的膝盖被绝缘胶带包起来。波特拉克舅舅这下不能自己修理了,他需要医生。

玛蒂拿起她的笔记本,这才发现另一只手里还紧紧地攥着一把螺丝刀。

她原本可以把螺丝松开的。

她本可以卸下门把手，把自己放出来，把吸尘器的线绕好，这样的话，舅舅就不会受伤了。

她本可以把一切都弄好的。

螺丝刀就在她手里。

21

这是波奈特校长的话，她说："如果你无所畏惧，就不会变勇敢。"

这句话写在布恩郡纪念医院候诊室里。

波特拉克舅舅在检查室，妈妈在楼上工作，她在七楼，会尽快下来。波奈特校长在打电话，是往她办公室打的，说着波特拉克舅舅现在的情况，说安排他下周进行膝盖手术，以及她需要一个临时维修工。"是的，我知道本来安排在假期结束后，但事情有变。"她说。

玛蒂坐在那里，呆呆地坐在那里，怀里抱着她的笔记本，好像这样一切都会停下来。

　　她害得波奈特校长要找一个临时维修工。

　　她害得波特拉克舅舅受伤了。

　　她的错，一切都是她的错。

　　玛蒂试着不去想，不去想那撞击声，以及波特拉克舅舅跳上医院轮椅时发出的哀嚎声；不去想向波特拉克舅舅说"对不起，对不起，对不起"，而波特拉克舅舅说着"没关系"——但他的声音又轻又低，眼睛紧闭，眼眶潮湿。

　　候诊室放着审判剧集。虽然没有声音，但屏幕下方有滚动字幕，可以看到法官说的话。有时字幕出错了，可能写成了："你在想神马？"但随后更正了，"神马"后面跟着"什么"，"结过"后面跟着"结果"。

　　玛蒂不想去想是"结过"还是"结果"。整晚都在担心有人偷看了你的笔记本，可能的结果就是自己又累又笨,还犯错误了。跟看起来像同龄人的陌生女孩说话,可能的结果就是计划都泡汤了。就像太小的孩子的结果可能就是你在乎的人——

玛蒂环视四周,想转移下注意力,她的目光落在波奈特校长的钥匙链上,上面有一张照片,上面有一位女士,还有一只山羊。

波奈特校长已经打完了电话。"那是我在俄勒冈的马修斯峰上照的,"她说,"那真叫登山,那座山有四千英尺高。"

四千英尺高,玛蒂试图想象自己站在四千英尺高的悬崖上,像照片中的波奈特校长那样骄傲地微笑,但她想象不出来。

"你太勇敢了,"玛蒂说,"我会害怕的。"

这时,波奈特校长说:"如果你无所畏惧,就不会变勇敢。"

"看到这家伙了吗?"校长说着,她的手指指向山羊,"它并不害怕,所以说它也不能说是勇敢的。

它只是一只山羊，做着山羊该做的事情。"

一个小男孩和他的妈妈走进候诊室。他的手臂紧贴胸口，好像很清楚最好不要移动手臂。

"很勇敢。"玛蒂小声嘟囔着。

波奈特校长耸了耸肩，"也许是吧，"她说，"一个人很怕的事情，另一个人可能觉得很简单，那个断了手臂的男孩可能只是照片里的山羊而已。"

玛蒂好想笑，波奈特校长的话太有意思了。如果是这样，"害怕医院的人去医院才叫勇敢。"玛蒂低声对自己说。但波奈特校长还是听到了，她说："不害怕医院，那去医院跟去公园散步没啥区别。"

"除非你害怕公园。"玛蒂说。

波奈特校长大声笑起来，声音像风铃一般。

"我想你说得对。如果你害怕公园，那走在公园里就证明你很勇敢。如果你害怕狗，养狗就证明你很勇敢。如果你恐高，爬山就证明你很勇敢。"这时电视里弹出一个广告，一个男孩和一个女孩在吃冰棍,虽然屏幕上写的是"冰滚","如果你害怕冰棍,那吃冰棍就很勇敢。"她说。

"怕冰棍?"这次玛蒂也笑了。

"我敢说这个世上是有人害怕冰棍的。对他而言,吃冰棍确实需要很大的勇气。而对其他人而言,吃冰棍不过是允吸冰冻果汁罢了。"

波奈特校长又拿起钥匙链让玛蒂看,"你知道吗,我不是突然决定去登山的。我去上了登山课,而且我爬过很多小山小峰,我不断地练习。玛蒂,每一次,我都会做一点儿更勇敢的事情。"

候诊室的门被人用力推开了,三个体态丰满的女士走进来。

"她会没事的,爱丽丝,"其中一个女人说,"你会看到的。"

一点儿更勇敢的事情?

玛蒂不知道对于一个害怕冰棍的人而言,它意味着什么。在杂货店看到一箱冰棍?买下它?打开它？对于登山而言，至少会有培训，会有老师告诉你下一步要做什么。

要是你害怕上课呢？

要是你不确定自己害怕什么呢？

你怎么才能知道首先要做点什么勇敢的事呢？

22

玛蒂的木莓冰棍。

那是妈妈从医院回家的路上在名人小超市买的。波特拉克舅舅要去参加玉米盛宴,妈妈需要一些晚饭食材,她问玛蒂有什么需要。

"波特拉克舅舅快点儿好起来;我要成为维修办的学徒;昆西·斯维特从地球上消失。"玛蒂想着。

"冰棍。"玛蒂说。

玛蒂的冰棍有两根棒,可以掰开,两个人一起吃。波特拉克舅舅的帽子压得很低,这会儿他已经坐在后座睡着了,妈妈又不吃冰棍,所以一路上,玛蒂都在一边吃两根棒的冰棍,一边想着什么是勇敢。

"冰棍滴下来了!"妈妈提醒玛蒂。

玛蒂从手纸盒中抽出一张纸,"对不起。"她朝着车座说。有冰汁还在她的手指上,她顺便擦了下,但木莓的颜色却擦不掉。

"想说点什么吗?"

没有。

妈妈把车开上长长的碎石路。玛蒂一直盯着克里斯托尔·斯维特的房子,看看那窗户、窗帘,可没有人从窗口向外望。

"看来有人在等你。"妈妈说。

昆西·斯维特在山坡上的苹果树荫下,她坐在石头上画着画。她的画纸从包里露了出来,她的工具箱是开着的。好像石头是她的,好像她掌管了这里的一切。

玛蒂把最后一口冰棍舔干净,把它从车门缝扔了出去。

"想送昆西一根冰棍吗？"妈妈问，但玛蒂假装没听到。

她会很勇敢。

她会很勇敢。她会告诉昆西，石头是她的。她要把昆西·斯维特赶走。

穿过草地，绕过花园，走过石兔。这是我的地盘。在她的脑海里，这声音很坚定。这是我的地盘。往上走，路过帐篷，走到岩石旁边，昆西已经占领了这里的每一寸土地，用她的画纸、蜡笔、打开的工具箱。这是我的地盘。

"你占了我的地方！"玛蒂喊，很大声，吓了自己一跳。

昆西抬头斜着眼睛看了看她。

玛蒂也斜眼看着昆西。"走开！"她想对昆西说。但她不需要说了，昆西已经收拾好她的画纸，滑动着她的工具箱向岩石的另一边走去了。

"这下地方够你用了吧？"昆西问，"你是要写故事吗？"

"我只是……"这时玛蒂感到内心油然而生出一种勇敢，"是的，也许吧。"

妈妈在下面喊，"昆西？"她问，"你想吃冰棍吗？"

昆西站起来。"想。"她回答说。

"你要吗？"昆西问玛蒂，她像往常一样平静，就像在吸冷冻果汁一样。

"不要，"玛蒂说，"我还好。"

***

玛蒂确实还好，她这么告诉自己：我还好，也许不勇敢，也许不优秀，但我还好。

昆西回到山坡之前，玛蒂一直还好。昆西一手拿着冰棍，一手拿着玛蒂的笔记本。"你妈妈让我给你的。"

昆西把笔记本扔到岩石上。一阵风吹来，翻过一页又一页，玛蒂看到自己的笔迹：擦干净、危险、不能、一个人、牟。

玛蒂听到一阵撞击声。这种声音就像波特拉克舅舅撞伤倒下的声音。一个人、黑暗、牟。昆西用手按住一页，看着上面的字。玛蒂想，她之前是看过的，只是假装没见过似的。

"你怎么把牟写得那么悲伤？"昆西问。

"你怎么看我的笔记本啊？"玛蒂想这么说，但她没有说出来。

"因为事实就是这样。"玛蒂说。

"不是这样的。扣子在现实生活中不会恐惧的，它是塑料的，它没有感情。"

玛蒂想说："我知道啊，我现在得走了，再见。"

但她什么也没说，也没有离开。

昆西咬了一口冰棍尖儿。"我的意思是，你乱说，牟不会害怕，它又没去和怪兽打斗，或者去冒险什么的。你那样写它害怕还差不多。"昆西又接着扑通扑通扑通地说:"那样写会好很多。"

昆西一直在说。一直在"扑通",还说如果她是一个作家,她就会那么写。她会把牟写成一个勇敢的探险家。玛蒂看着昆西吃完了最后一口冰棍。"但我不是一个作家,我是一个艺术家。"

"那就把它画出来啊!"玛蒂想着,她这次还说了出来:"那就把它画出来啊。"

"我不能画,"昆西说,"我只画真实存在的东西。"

她听起来没那么"扑通"了。也许有一点失望,"我看见的,才画得出来。"

"你可以试试。"玛蒂说。

"你也可以。"昆西微笑着说。

"我知道啊,我现在得走了,再见。"玛蒂看着昆西手中光秃秃的冰棍,心中默默地想。

"好吧。"玛蒂说。

"好吧?"昆西疑惑地问。

玛蒂点了点头。打开她的笔记本,翻到门把手那一页,快速翻过去。"好吧。"

昆西打开她的工具箱,拿出一支铅笔,她跪在草地上,把画纸堆在膝盖上。她蜷缩着,看上去像一个垃圾纸团。

"你可以把你的画纸放在这里,这里够我们两个人用。"玛蒂说。

"可以吗?"

"可以。"

昆西把她的画纸放到岩石上。

牟的冒险,与魔鬼战斗。该怎么写这样一个故事呢?

23

牟的冒险

作者:玛蒂·布琳

牟在洗衣机里,但它并不害怕。它要去冒险,它要……

牟,洗衣机英雄

作者:玛蒂·布琳

牟是洗衣机中最坚强的纽扣,洗衣机里到处都是落下的硬币、纽扣、发夹、口香糖包、购物清单、小石子、橡皮筋、冰棍棒……

牛与绒线的对决

作者:玛蒂·布琳

每个人都害怕绒线,它有很多毛,能吸附东西,所有丢失在洗衣机中的小物件都不敢安然入眠,因为它们害怕绒线会在晚上偷偷靠近它们,并把它们吞掉。牛作为一个老鼠形状的纽扣,也很害怕,但它受不了老是不能睡觉,它决定反击。牛发现了一个发夹,"它就是我的宝剑。"牛说。然后……

"然后什么?"昆西问。

"我不知道。"玛蒂看着笔记本说,她看了看昆西在画纸上画画改改,说:"你啥也没画。"

"我得照着画。"昆西叹了口气。"我想找只老鼠和发夹。拿着,"昆西说着,给了玛蒂一根棍,"像一只勇敢的老鼠那样站着。"

玛蒂站起来。她拿着棍,试图把自己想象成一只老鼠,而且是只勇敢的老鼠。

"不对。"昆西说。她绕着玛蒂转了一圈,揉着下巴,歪着头,盯着玛蒂。玛蒂想把自己缩小到纽扣那么大,幻想着自己可能被丢在了洗衣机的某个角落。

"试着把棍拔出来,"昆西说,"假装你正在击退绒线。"

玛蒂举起手臂。"我打不过绒线的,"她想,"我会把这棍扔了,然后跑掉的。"

"俯下身子,蹲下来。"

玛蒂弯下腰。

"不是这样的! 不是弯腰。是弯下膝盖! 刺出去! "

玛蒂试图刺出去。

"不,不,不,"昆西说,"像这样! "昆西突然拿起另一根棍,用它刺向玛蒂。"滚出去,绒线! "她大叫。

"我不是绒线。"玛蒂说，"我是牟。"她说得很平静，但很坚定。

"哦，是吗？"昆西说。她离玛蒂近了一步，她的剑从玛蒂胸前滑过。

距离太近了。

玛蒂用自己的剑击退昆西的剑。砰的一声！她感到剑在手中震颤。

昆西眯着眼睛。"好吧。你是牟，我是绒线。"她挥剑向玛蒂刺去，砰的一声！

玛蒂想都没想，向昆西回击。"接招，绒线！"

"我是好绒线怎么样？"昆西又眯起眼睛，"我逃离了绒线怪兽，加入了你，现在我们一起打它，好吗？"

玛蒂仍能感觉到最后一次刺在手心的痛，还是昆西在她这边比较好。

"它在那儿！"昆西喊道，她越过玛蒂，跑过去，把剑举高,朝着树的一侧。玛蒂也在跑,速度很快,勇敢地跑向一棵覆满苔藓的结实的橡树,她的心怦怦直跳,"看我的!"砰!好多苔藓散落在空中。

"看我的!"昆西喊着。

玛蒂转过头,苔藓不停地落下来,落在每一块岩石、树木及树枝上,向四周飘落,飘落……"小心!绒线女孩!"

"我知道!"昆西旋转着,她的剑重重地从空中割过。砰!

绒线恶魔无处不在。牟是勇敢的。砰!砰!

"牟!快来这儿!"绒线女孩被困在洗衣机涡流中了。

"我会救你的!""牟"奋力奔跑,快速跳过肥皂水坑,爬向水管,绒线女孩的披肩被紧紧缠住,在这台破旧机器的生锈的涡旋里打了很多结,"快把我拉出来!"她哭喊着。

"牟"用力地拉着,但披肩纹丝不动,"牟"需要两只手去拉，但这样的话，就要把剑放下。如果邪恶的毛绒魔鬼发现她们怎么办？更糟糕的是，如果这是个陷阱怎么办？如果绒线女孩不是真的变好怎么办？

"求求你了！"绒线女孩哭着。没有时间去担心了，没有时间去思考了。"牟"放下大头针，开始使劲拉。一点点拉起绒线女孩披肩上那些结实的线。最后，绒线女孩获救了。

"我们赶快走吧。""牟"一手抓着剑，一手拉着绒线女孩的手。"快跑！"又一次穿梭在线圈涡流中，在管道和圆管里奔跑，心脏怦怦直跳，气喘吁吁，她们一直跑，直到安全抵达她们的"肥皂盒"家中。

24

其实是斯维特·克里斯托尔的车,她俩击掌庆祝。

玛蒂躺在草地上,后背着地,昆西也躺下了,喘着粗气。

"我还从来没有这么玩过呢!"昆西说。

玛蒂也想这么说,但如果她说了,昆西也许会说"你还太小"。所以玛蒂什么也没说。

仿佛过了三整天,或三十秒,或半辈子。除了俩人扑通扑通的心跳声及呼吸声外,周围一片沉寂。

太安静了。

"越来越安静，"玛蒂开始想，"这也太安静了，也许她应该说点什么。"

　　她应该说点什么呢？

　　如果是波特拉克舅舅，他会说点什么呢？

　　"波特拉克舅舅说过，他跟月亮说话时，月亮会回话。"

　　不该说这个的，玛蒂一说完就后悔了。

　　昆西没说什么。她只是不停地喘气，她肯定在想，她都这么大了，才不会理这个幼稚的小女孩以及她的纽扣和月亮的故事，昆西肯定认为昨天的离开是非常正确的选择。

　　"月亮说什么了？"昆西问。听着不像字面意思，或者她把玛蒂当成小孩了。

　　"我不知道。"玛蒂说。

　　"你试过没有？"

　　"没有，"玛蒂说，"我没弄明白……波特拉克舅舅说……"他是怎么说的来着？玛蒂努力回忆那天晚上的对话。"波特拉克舅舅说，如果你想要月亮相信你，你就要相信月亮。"这会儿草地变凉了，甚至有点冷了。

"什么意思？"昆西问，"相信月亮？"

玛蒂耸耸肩，但她是平躺着的，昆西也是，所以昆西没有看到她耸肩。我不知道，玛蒂心想。"我认为你必须告诉月亮一些重要的秘密，只有这样，月亮才有可能会告诉你一些事情。"

昆西坐起来，瞥了一眼玛蒂。

昆西或许会对玛蒂说"你笨死了"、"或者你太幼稚了"，或者告诉玛蒂波特拉克舅舅是骗她的。

"好吧。"昆西说。

好什么？

斯维特小姐大叫着，让昆西进屋子来，她有东西给昆西看。

"今晚，"昆西说，"今晚我们告诉月亮一个秘密，看看会发生什么，好吗？"她听起来不像在开玩笑，一点儿也不像。

"昆西?"斯维特小姐又叫了一声。

"好吗?"昆西问。

"好。"玛蒂说。她还能说什么呢?

25

　　玛蒂还待在那儿，抬头望着天空。她要对月亮说什么呢？有昆西在旁边听着，她能说什么呢？

　　如果是波特拉克舅舅，他一定知道该说些什么。如果他出来散步，玛蒂一定要邀请他加入她们。走到山坡上，叫月亮小姐出来，给她讲一个狂野又有趣的故事，这样昆西·斯维特就会忘记让玛蒂说话了。

　　可是波特拉克舅舅正在沙发上休息。

　　他必须伸直他的腿，医生让他这么做。安安稳稳、静静地等待下周末的手术,治好他的坏膝盖。

昆西·斯维特在旁边听着,波特拉克舅舅会对月亮说什么呢?

也许他会说说斯特拉,或者一些军队的故事,或者讲布琳奶奶是怎么给他起小名的。玛蒂很喜欢听那个故事:五岁的罗伯特从餐桌上偷走了自己的生日蛋糕,来了一只熊要吃掉罗伯特,但小罗伯特成功说服了熊,让熊吃掉了蛋糕,而不是他。布琳奶奶每次说到这里总会大笑着说:"波特拉克就是很走运的意思。"这就是波特拉克这个名字的由来。

玛蒂希望自己也能讲一个类似的故事。

也许她可以讲一个有关波特拉克舅舅的故事,就像在讲自己的故事一样。不是起名字那件事,当然也不是关于斯特拉的故事,也不是用口琴驯服马戏团狮子的事情。她不会吹口琴,昆西可能真会让她吹的。她只有牟的故事,而昆西已经读过了。玛蒂提醒自己,昆西已经偷偷地读过了。

玛蒂躺在那里，回忆着，一动也没动。突然她听到一阵响声，一阵翻动书页的沙沙声，原来一阵微风袭来，把昆西的一张画纸吹到了玛蒂的身旁。

　　上面画的是一个老鼠纽扣，中间有两个孔，看起来像个铲子，但玛蒂明白它本来是一个发夹。老鼠比玛蒂画得好看多了，虽然还不是玛蒂想象中的样子，她希望这是一只成年鼠，可惜它不是。

　　其他的画纸也都在随风飞舞，玛蒂跑过去想抓住它们。其中一张落在了玉米秆上，一张围绕着石兔乱飞，画着胡萝卜发夹的那张往妈妈帐篷的另一边飞走了。玛蒂把这些画都收集起来，把它们放在岩石上，一张张摞起来，用她的笔记本压住。

　　又来了一阵风，这次笔记本也被风吹开了，玛蒂又得重新一页页整理好，从没缝牢的牟、指示灯结构、清洁指示，又翻回到牟的第一页，然后下一页，来来回回，直到把所有张数都理清。

***

"玛蒂!"妈妈从楼上的窗户喊她。

"玛蒂,套件毛衣,天凉了。"

苹果树的阴影被拉得很长,盖住了波特拉克舅舅的岩石,向花园伸去,一直延伸到厨房门口。

厨房很暖和,充满雾气,混着番茄的香味,那是家的味道,玛蒂深吸一口气,屏住呼吸,踮起脚小心翼翼地走过波特拉克舅舅睡觉的客厅,一直走到她自己的房间。

玛蒂完全沉浸在番茄的香味里,开始还没有注意到从天花板洞口传来的响声(这个洞口可以放得下一个番茄),直到响起一阵用汤罐敲击橱柜的声音,玛蒂才意识到。

汤罐也可以用来打电话,妈妈小的时候,舅舅们就经常这么干。

玛蒂呼了口气，把弦拉紧，让汤罐对准她的耳朵。太酷了，里面传出大海的声音，哗哗哗，像贝壳一样。她把罐对准嘴巴："你好吗？"

汤罐在玛蒂手上晃动，玛蒂又把它扣在耳朵上，断断续续听到了一阵声音："能——听到吗，玛蒂？"

原来是妈妈。

"听到了，"玛蒂回答，但她忘了把汤罐对准嘴巴，所以她还得再说一遍。"听到了。"她又把汤罐放在耳朵上。"……不好用啊。"玛蒂听到里面传来这句话。

"等等，"妈妈说，"当我说完一句话时，我会说完毕，然后我再听你说，直到你也说完毕，怎么样？"又没声音了，"完毕，我的意思是，好吗？完毕。"

玛蒂把汤罐放在嘴前，"好的，"她说，"完毕。"

"好的。"妈妈的声音听起来像是从好远的地方传来，肯定比楼上要远，但玛蒂还是能听出来妈妈在说什么。"我小的时候，屋子里太吵了。你知道吗,有时我觉得没有人在听我说话。"她说,"完毕。"

玛蒂点点头,对着汤罐说:"嗯,嗯,完毕。"

"你就不同了。我经常问你好不好,每天过得怎么样。"玛蒂感觉汤罐在拽她的手,绳子被拉得更紧了,"但波特拉克说你并没有回答,你只说你很好或者干脆换个话题。"

罐子里传来的妈妈的声音很模糊,难以辨识。但即使模糊,玛蒂也能听出个大概。妈妈的手弹了一下,玛蒂听到音调变了,玛蒂一直认为妈妈的声音就是那样固定不变的,但现在它听起来满是悲伤。

"总之,玛蒂,"妈妈说,"我要对你说件事……完毕。"

完毕。

在妈妈说完毕之前,玛蒂就知道她要说完了。全都说完了,玛蒂感到她的手在颤抖,感到汤罐在脸前颤抖。

"我们要搬走了。"玛蒂对着汤罐说,她要赶在妈妈说话之前说这些。

"我们要搬走了。"玛蒂又说了一遍，她有充分的理由："我弄伤了波特拉克舅舅，我把所有事情都弄糟了，我弄伤了他的膝盖，他不能工作了，我们不能留在这里了，都是我的错。"

她的手在颤抖，她的腿在抖，她屈膝坐到了她的床上。

不是她的床，是坐在了一张床上。

不是她的房间了，不是她的房子了，不是她的院子了，不是她的岩石了，不是她的菜园了，什么都不是她的了。她们要搬走了，这不是她的家了。

汤罐从她的手中滑落。滑啊滑，一会儿绳子就松了。

完毕。

26

"玛蒂。"妈妈喊了一声。

她在玛蒂的卧室门口站着,已经从门口进来了,说:"我们不搬,我答应过波特拉克……"

"等他好些,"玛蒂说,她知道妈妈接下来要说什么,"等他好些,做完手术,我们再搬走。"

"也不是那样,我保证……你舅舅让我保证过,我们至少会住到你高中毕业。他说老是搬来搬去对你伤害太大了。"

妈妈坐到了床上。"我们每次搬家,都是有原因的。生活变得更加艰难，工作要迁到南部——似乎搬迁更好，你懂吗？对我们两个人都好。但波特拉克认为这样对你不好，他告诉我，你是为了我才装成自己很好，我也假装不知道你是装出来的。"

"这是波特拉克舅舅说的？"

"是的，"妈妈说，"我不愿相信他是对的，这就是我送你那个笔记本的原因。"

笔记本？搬家与她的笔记本有什么关系啊？

"我猜想你会在笔记里写你很好，这样就能证明我是对的。或者什么也不写，也能证明我是对的。或者写了一些，证明波特拉克是对的。但我不会告诉他，事实是你写了很多，但什么也没有证明。你只是写了一些维修办的事，还有那颗纽扣的故事，并没证明……"

妈妈还在说，但玛蒂已经听不进去了。有个声音一直在耳旁回响"那颗纽扣的故事，那颗纽扣的故事，那颗纽扣的故事"。感觉像是过了二十天，或者仅是四秒，或者两者都有，玛蒂听到的全是这个声音。突然她明白了为什么这句话这么关键。

妈妈可能是从波特拉克舅舅那里知道的维修保养知识，但牟……

"你看过我的笔记本。"玛蒂说。

"是的，"妈妈说，"对不起。这就是为什么我要用这个罐子跟你通话，我想向你道歉。"

"从楼上吗？"

"我对你说这些时，我不想看到你的表情，或许我还在试图伪装。"妈妈看起来像是要站起来离开的样子，但她一直坐在那里。她转过头，眼睛直视玛蒂。"现在，我要为之前所有搬家的事向你道歉。对不起，玛蒂。很抱歉，我很自私。对不起，让你承受了那么多的痛苦，对不起，让你以为我们还要继续漂泊。我们不搬了。"

玛蒂忍不住要问："那要是日子过不下去了，我们该怎么办呢？"

"要坚强地面对困难。"妈妈拍拍玛蒂的手，攒了起来，妈妈的手指还热乎乎的，"你还有什么想问的吗？"

她摇摇头，然后停了下来。

"你什么时候看的我的笔记本？"

"什么时候？"妈妈似乎很惊讶，"昨天早上。你和波特拉克舅舅去上班以后。"

"它在我的枕头下面放着吗？"

"是的。我到处找，终于在你的枕头下面发现了它。"

如果是妈妈看了玛蒂的笔记本，那么昆西·斯维特就没看。

"对不起。"妈妈再次说。

"没关系。"玛蒂说。昆西·斯维特没有看过她的笔记本，是妈妈看的。现在妈妈知道了。她知道了，玛蒂想，但她没感到一丝恐慌。妈妈看到了玛蒂写的东西，知道了牟，也了解了玛蒂担心的事情。

而且妈妈说了，她们会一直住在这里。

一起住在这里。

"至少现在我知道怎么堵住窗户了，"妈妈说，"你记得很详细。我真的从中学到了很多。谁会想到一抽纸巾有三百张呢？"

"波特拉克舅舅知道。"玛蒂说。

"是的，"妈妈一字一顿地说，"是的，他确实知道。"她站起来，拿起了汤罐。"我会用剪刀把这东西剪下来，我会想办法把孔也堵上，好让你有些私人空间。"

"我们现在就要把它拆了吗？"玛蒂问，"也许我们可以用它再谈点别的事情？用来互相问候也行。"

妈妈笑了，仿佛她很久没听到这么好的计划了。

"就这么定了！"妈妈说。

27

她们会长住在这儿。

玛蒂把头滚回到枕头上，感觉她那笔记本的硬边压在了身下。她那些维修保养知识的笔记现在没用了。下周开始时，波特拉克舅舅又不在学校。她没法以波特拉克舅舅学徒的身份吃午饭或者课间休息了，她不需要这个笔记本了。

她需要一个朋友。

玛蒂坐了起来。如果昆西·斯维特没有偷看玛蒂的笔记本，那她就不是装的，没准就像妈妈想的那样,昆西是她的朋友,或者可以成为她的朋友。

也就是说,玛蒂只要不把事情弄糟就成,再坚持一天不说傻话,不小孩子气,然后昆西就会回到尼科莱特和杜伊家了,她那患疝气的哥哥也会回去的。玛蒂就可以对别人说自己有一个朋友。

那就不是撒谎了。

在米切尔·P·安德森小学,玛蒂可能会独自出现在餐厅或者操场上,但她可以对自己说,在别处她有一个朋友。在万圣节之前,玛蒂都可以这么说,但昆西会在万圣节的时候来克里斯托尔家,那时玛蒂又要小心谨慎不出错了,不过那事儿可以以后再考虑。

现在玛蒂需要思考的是,当着昆西的面,她该对月亮说点什么。

玛蒂听到厨房有动静。妈妈在那儿,她听到了,正和汤米舅舅说笑呢。她还听到了波特拉克舅舅的笑声,听起来就像他不必去医院似的。还听到了斯维特小姐尖锐的笑声。"我想到了！"玛蒂叫着，"我想到了！"

昆西没准也在厨房，玛蒂没听到任何动静，昆西应该去了厨房。玛蒂应该径直走进去,向她的朋友昆西微笑问好,只要看上去不很奇怪或者太明显就好。

天太黑了,从窗户里已经看不到自己,玛蒂对着窗户笑,大笑、微笑、像昆西那样绷着嘴笑,最后一种表情让玛蒂看上去忧心忡忡的。玛蒂把目光从窗户转向夜空,月亮在树梢上方静静地坐着,如同一个小学生,正在盼望着有人能邀请她一起玩耍。

"对不起。"玛蒂小声说。

从厨房里传来更多的笑声。"等等,波特拉克,不是这样的。听着……"是汤米舅舅在讲话。波特拉克舅舅每完成一件事,汤米舅舅就会公布出来,用他的方式说出来,也非常有趣,有时甚至比波特拉克舅舅的故事更有趣。他们两人可以那样讲一整晚。

这让玛蒂想到了一个好主意，一个非常好的主意。

她只需要让波特拉克舅舅来讲讲他的童年岁月，或者让汤米舅舅谈谈钓鱼或他旧日的女伴，就像厨房里这样一个又一个以往的故事，讲到很晚很晚，玛蒂和昆西都快在座椅上睡着了，大人们只好把她俩放到睡袋里，互道晚安，玛蒂没有把今晚搞砸，所以算得上是一个不错的夜晚。

过了一会儿，玛蒂又在窗户里看到了自己，脸上是紧张的笑容，她显得忧心忡忡的，"不会有事的。"她对着窗户里的那张脸说。

"对不起。"她又对着月亮说了一遍，然后在那儿听着，仿佛月亮会说"没关系"，就像她听懂了似的。但是月亮什么也没说。

月亮依旧在云端，等待着。

28

厨房外面，波特拉克舅舅坐在一把椅子上，他那坏膝盖架在另一把椅子上。斯维特小姐和汤米舅舅也都坐在桌子旁边，妈妈站在炉旁，手里拿着一把木勺。昆西不在那儿。

"快到我这儿来，玛蒂·梅。"波特拉克舅舅说着，从另一侧拉了一把椅子过来。他必须斜着身体去够椅子，这样的动作让舅舅很不舒服。

"对不起。"玛蒂说，声音小得只有波特拉克舅舅听得到。

"你已经道过很多次歉了，玛蒂·梅，"波特拉克舅舅的回答也很小声，"没关系啦。"

但玛蒂认为是有关系的。"我的笔记本里记着呢：用完后要立马拔下电线。是我的疏忽导致你被绊倒了。"

波特拉克舅舅点点头，想了想，"你能帮我在笔记本里再加点东西吗？"他问玛蒂。"加上这些：如果你想在工作时跳段狐步舞，首先要确保周围环境没有潜在危险，玛蒂·梅，如果那天我没有那么忘情地唱歌跳舞，我肯定会一眼看到吸尘器的电线。这件事情，我认为我们两个都有责任。"

斯维特小姐一直在听，插话问道："你当时在跳舞吗？"

"跳了下，"波特拉克舅舅答道，"有人鼓励我跳舞，就忍不住跳了下。"他俯身亲了亲玛蒂的额头，把自己的帽子戴在玛蒂头上。看起来不错，就像在一张剪纸上加了一个创可贴。

"快看！"斯维特小姐对妈妈说，她拿出手机，小屏幕上显示的是斯维特小姐的照片，她穿了一件印有棉花糖图案的连衣裙，旁边是一位穿紫色裙子的女士，这位女士化了比斯维特小姐更艳的妆，她的头发看上去就像龙卷风似的。"昆西是不是很好看？"

这位女士就是昆西。

"昨天我跟她说舞会的事，我们决定穿上我的旧礼服去城里。"斯维特小姐透过长长的睫毛看着波特拉克舅舅。"服务员说我们看起来就像姐妹俩，这是他给我们拍的照片。"

玛蒂又看了一眼照片，斯维特小姐在笑呢，昆西没笑。她看起来很平静，或许有些无聊或尴尬。很显然她不想让玛蒂过来看，甚至不想让任何人看。

"我今天又给她打扮了下。一会儿她来了你们就会看到，不知道发生了什么事情，让她耽搁这么久。"

波特拉克舅舅对玛蒂小声说："你能接待我们

这位任性的客人吧？我快饿死了，我想喝口汤，你妈妈都不让，说是要等到客人都来了才行。"

玛蒂点了点头，波特拉克舅舅的帽子遮住了她的眼睛，她往上推了推，她要前去请昆西过来。但事实上，玛蒂没必要去请，因为当玛蒂到达出租屋时，门正好开了，昆西走了出来。玛蒂注意到，昆西的脸是红的，并没有化妆。

"我已经知道要跟月亮说什么了，"昆西说，"你呢？"

"我也知道了。"玛蒂回答，她没有说谎。

厨房里，波特拉克舅舅在讲述另一个故事。玛蒂和昆西进来时，他正说着："解放了。"这是斯特拉故事的结尾，斯特拉从那儿出发，波特拉克舅舅独自留在雨中。

斯维特小姐看到昆西小姐后，生气地问："你把妆卸了？"

"感觉很假。"

斯维特小姐把胳膊交叉在胸前，噘起嘴：“你要学会适应。”

“我们继续。”波特拉克舅舅说。

继续？斯特拉的故事还有下文吗？

“我一定是昏迷了，醒来时，已经是晚上了，不远处响起很大的撞击声，我确定那是一只熊。”

“而且没有生日蛋糕。”汤米舅舅说。

波特拉克舅舅瞥了汤米舅舅一眼，继续讲述他的故事。

“我当时受伤了，毫无防御能力，我拿起一根粗树枝，虽然我知道在当时的惨境下，我根本打不过一只熊，它的声音越来越近……”

玛蒂感觉自己的身体在向前倾斜，她看到妈妈也在向前倾。

“……当我走出树林时，遇到了一只傻狗，它在全速奔跑，正好跳到我的膝盖上，它咆哮的声音就好像汤米的消防车在呼啸。”妈妈笑了，汤米舅舅笑了,就连昆西也笑了。"几秒钟后,我的两个警察同事挣扎着穿过灌木丛,是斯特拉带他们来救我的。"

"懒狗,"斯维特小姐说,"它骗了你!它从始至终都在骗你。"

"也许它不懒,只是人们不了解它。"昆西说。

玛蒂陷入了有关是欺骗还是理解的沉思,她甚至想到可能斯特拉也不知道它能做些什么。或许它也不知道事情的真相,所以不得不这么做。

"是猎犬真。"玛蒂平静地说。波特拉克舅舅笑了。把他的帽子从玛蒂的头上拿开,戴到了自己头上。

29

　　玛蒂晚餐吃到一半时,听到一阵轰隆隆的声音。

　　一辆闪着黑色亮光的轿车从碎石路呼啸而过,停在了克里斯托尔·斯维特的橙色车旁边。

　　"那是谁啊?"斯维特小姐问。

　　波特拉克舅舅放下玉米,从斯维特小姐旁斜身透过窗户往外看,他看了一眼,就立即坐直身体,是波奈特校长来了。

　　妈妈让玛蒂去开门。

　　波奈特校长还是穿着平时穿的那双鞋,还是那条牛仔裤，她的穿戴不像一个校长，也不像一个登山者，而像个普通人。

"你好，玛蒂。"波奈特校长像往常那样笑着，"我想看看你波特拉克舅舅，我可以进来吗？"

玛蒂请校长进屋。

家里来了一位校长，感觉怪怪的，虽然她看起来跟普通人一样。

玛蒂注意到，大家都直直地坐在餐桌旁，包括波特拉克舅舅，包括所有人。

"你好！"妈妈说。

"你好！"波奈特校长说。

随后她转向波特拉克舅舅。"先生。"她说着，向波特拉克舅舅敬了个礼。

玛蒂还没来得及思考这个敬礼的含义，波特拉克舅舅就大笑起来，笑得后背、肚子，甚至膝盖都颤动起来，他不得不把一只手放在膝盖上，以免再次受伤。"你知道它的意思？"他问。

"我当然知道,罗伯特。我是校长,我什么都知道。"

斯维特小姐很不以为然地哼了一声:"波特拉克能从玉米棒子里预知未来。"

汤米舅舅敲了下桌子,"抓住了!"他笑了,"快说说你的猎犬真怎么把你救出来的。"

波特拉克舅舅沉默了一会儿。太紧张了,玛蒂心想。有波奈特校长在场,他啥都想不起来。

但他接下来确实开始说了。他清了清喉咙,扶了下帽子,说:"汤米,你太缺乏自信,这的确令人太失望了。西尔维,你能预知一下我的未来吗?"

妈妈把她的盘子推向波特拉克舅舅。

汤米舅舅示意让波奈特校长在一张空椅子上坐下。"请坐,"他说,"这可能需要一段时间。"

波特拉克舅舅环顾桌子四周,但玛蒂注意到他没看波奈特校长,只是看了看其他人,然后就看着盘子里的玉米棒。

他边用餐叉叉起妈妈的玉米棒,嘴里还嘟囔着什么。

"在我开始之前,我需要让大家都明白,这种现象只是一瞬间,完全没有征兆,玉米粒告知我们当前的情况,并提供一些线索,那些敏锐的读者可以根据这些线索推测未来。"

"快点开始吧!"汤米舅舅喊着。

波特拉克舅舅把玉米棒举得很高,上下左右仔细研究着。"我知道了,"他说,"太有意思了!"又说:"好的,现在,要不那样吧!"最后,他对妈妈说:"你去那儿。"

"我去哪儿啊?"妈妈问。

波特拉克舅舅举起他的餐刀,指了指玉米粒下面。"看到没被咬到的玉米粒末端的仁了吗?这表明一个生命正在孕育,就在这里,"他指向玉米粒的末端,那儿没被咬到,"它象征着希望。"

玛蒂偷偷看了昆西一眼,她貌似很无聊,玛蒂心想。

每个人都在洗耳恭听，尤其是妈妈。

"是的，的确，"波特拉克舅舅说，"这是一个吉祥的征兆。对于那些立场坚定又喜欢挑战的人而言，这是一个全新的、令人兴奋的冒险的开端。"

波特拉克舅舅把玉米放回盘子里。大家鼓起掌来，波奈特校长也在鼓掌，波特拉克舅舅整个耳朵通红通红。

"谢谢你，波特拉克。"妈妈说。

波特拉克舅舅耸了耸肩，"谢谢玉米吧。"

汤米舅舅把他的盘子推到桌子中央，里面有三个玉米棒，都被啃光了，一个粒也没剩。"我要开始什么呢？"他问波特拉克舅舅。

"消化不良，"波特拉克舅舅答道，"这些啃光的玉米棒表明你需要苏打水。下一个是谁？"

到我了吗？玛蒂心想。告诉我我是怎么样的一个人。告诉我我应该开始做什么。

她很认真地在想,脑海中人声回响着我、我、我,她认为波特拉克舅舅会听到的,但是他没有。

他听到的,玛蒂听到的,大家已经听到的,是昆西发出的声音:"我。"

30

　　昆西把她的盘子推向波特拉克舅舅,他还没来得及碰到盘子,斯维特小姐就把抢先把玉米拿了起来。

　　"让我试试,毕竟,她是我的侄女。"她像波特拉克舅舅那样举起玉米,嘴里振振有词。

　　"好吧。"斯维特小姐说,"好的,我知道了,好的。每一行玉米粒都非常直,看到了吗? 这表明昆西的未来将一帆风顺。昆西将会非常有名,会有很多帅哥男朋友,接下来你就会看到,她会成为一名舞蹈皇后,跟我一样。"

那是斯维特小姐能想到的最好的结局,玛蒂心想。她试图把一切想得很完美,但昆西没有做得很完美,她只是盯着她的餐盘看。

餐盘没动,昆西也没有。

斯维特小姐对妈妈说:"你可以告诉她,她的手指很漂亮,她的胸有 B 罩杯。"

玛蒂两只手臂环抱在胸前,她看到昆西也在做着同样的动作。

斯维特小姐没有看到。她转过身去看波特拉克舅舅。"我十四岁那年才开始发育,现在的小姑娘太早就成熟了,我在人民日报读过相关报道,她们也被称作青少年。"

斯维特小姐随后开始谈论青少年如何涂抹润唇膏,如何发短信,为何所有青少年都想长大,女孩子脑子里光想着男生……玛蒂注视着昆西的脸,她知道,昆西现在肯定恨不得用叉刺向她的姑妈。

"都是真的,"斯维特小姐说,"有人都已经研究过了。"

"没人研究过我。"昆西说,声音不大。

斯维特小姐开始说些别的事情,这时昆西拿起了玉米棒,使劲在上面咬了三大口。

"研究下这个吧!"昆西说。在玉米还没落到盘子之前,走廊门被用力关上,昆西跺着脚,穿过了花园。

"他们也太戏剧化了。"斯维特小姐说。

***

接下来的一分钟,房间里很安静,仿佛任何事情都可能发生。

玛蒂在等待着。

等着斯维特小姐站起来,去追上昆西。期待着妈妈,或者波特拉克舅舅拿起其他人的玉米,或者是玛蒂的,继续这场精彩的演讲。玛蒂会一直待在这儿，倾听她的未来，就不必出去跟月亮交谈了。

她还是得出去跟月亮交谈。

玛蒂做了件勇敢的事情。

她站了起来。

所有人都看着她，她站起来，走到了外面。

走进昏暗的夜空，穿过豌豆地及番茄架，石兔孤零零地在那儿站岗。再往上走，越过一片南瓜藤，就是妈妈的帐篷。

一直向上走，走进一片树林，在苹果树旁边有一块平坦的岩石，沿着波特拉克舅舅的岩石再往上走，是玛蒂的岩石。即使在漆黑的夜里，玛蒂也能找到这个地方，昆西·斯维特会在那儿的。

31

昆西坐在岩石上，膝盖弯曲，双臂抱着膝盖，旁边是她的工具箱，还有一袋画纸。

"可怜的牟。"玛蒂说。

也许这是一个愚蠢的开场白，也许她应该让昆西先开口的。

但是昆西是第二个说话的。"可怜的牟！"她说，这句话听上去像是一个秘密暗号一样。

昆西把画纸放在草地上，用工具箱压住它们，给玛蒂腾出地方坐下。

玛蒂坐下来,双膝靠紧,用手臂把它们抱在怀里。

云彩飘浮不定,光线随之变化,把天空渲染成一片黑蒙蒙,就像斯维特小姐涂的口红似的,玛蒂心想。

昆西也一定注意到了,"在学校的时候,我涂过润唇膏。"她说。

周围一片寂静。

"我也涂过。或许,涂过一次。"玛蒂说,"在学校里,我很少说话,整个早晨都不说一句话。到中午的时候,唇膏都粘在一起了。我猜如果那时我张开嘴,我的嘴唇肯定会裂开的。"

真不该说这个愚蠢的事儿,太傻了,昆西笑了起来。

她笑啊笑,笑得快要从岩石上滚下来了,她的笑让玛蒂也情不自禁笑起来。

"是真的!"玛蒂笑着说,她笑得前后摇晃,跟松动的螺丝钉似的。

昆西伸开双腿。她把头发从中间分开,想要把它们编成小女孩的辫子。但是她没有带头绳,玛蒂看见,当她编完一个,要编另一个时,之前那个已经松开了。

微风拂来,云彩散去,从树梢射进一束光芒,把渐暗的天空带进了月亮的城堡。

"月亮肯定听过你讲润唇膏的故事。"昆西说。

也许吧,也许月亮小姐听过润唇膏的故事。

但这个故事是不需要讲出来的,玛蒂不需要把它讲给月亮听。还有一个故事,像一个枷锁一样,让玛蒂的内心紧紧盘绕着它。在这里,有昆西在旁边陪伴,玛蒂决定把它讲出来。

***

故事的开始还要回到玛蒂之前讲过的那些,有牟、米尼,以及她自己。

故事开始了：她太大了，我认为她完全可以把我吞下去。

故事就这么开始了，结尾变成了开头。

魔法单词：魔…鬼。

笔记本被黑夜笼罩。

里面记载的故事已经难以辨认，笔迹模糊。

她，玛蒂，说了魔鬼。

魔鬼。

魔鬼。

一个女孩怎么能说出这个词呢：

"魔…鬼。"

很大声地。

这个词怎么出现在玛蒂的笔记本里的？

在她那本黄色封皮的笔记本里。

那个姑娘是怎么发现这个笔记本的啊？

在玛蒂的背包里。

在看了其他背包后。

她是怎么让自己变小才得以进入衣帽间的？

她的名字怎么是星星？

她为什么要来这里寻求挑战？

***

这些文字被分开了，回到了之前散开的样子。

玛蒂感受到了自己的呼吸，缓慢又深沉，吸气、呼气。

在某个地方，一扇门开了。

***

"可怜的牟！"昆西说。"这个故事不错，我的意思是，它太悲伤了，发生了一件令人悲伤的事情，但是你讲得很好，不愧是个作家。"她说，"你很善于讲故事。"

我是这样的，玛蒂想，这不是一个疑问句，而是一个肯定句，一个真相，一个事实，"我是。"她说了出来。

她不知道她的声音有多大，不知道自己是小声嘀咕还是大声喊出来的，但她听到了回声，就像你在山里听到的那种。这个回声不是从山里，或树林中，或帐篷那儿，或房子里传来的，它根本不是外界的回声，它是内心的回声，玛蒂可以听得到。

月亮很大，很圆，很饱满。

32

天更黑了,月亮高高地在头顶挂着。

昆西抬头望着月亮,玛蒂也抬头望着月亮,两个人都仰起头,望着这轮勇敢的圆月。

"现在要干点啥?"昆西小声问。

"你可以说说你的事儿,"玛蒂回答,"如果你愿意的话。"

"我愿意,在你离开这儿之前,我会谈谈杜伊、尼克莱特、克里斯托尔等等。"昆西发出"扑通"的声音。

玛蒂听过这些故事，昆西发出过相同的声音。这些不算数，玛蒂想告诉昆西，信任月亮就要跟她讲一些秘密，一些重要的事情。

她这么跟昆西说了，月光照在昆西的脸上，昆西仰起头，把头发绕成心中辫子的形状。

最后成了玛蒂看到的样子。

玛蒂怎么知道，昆西之前说的那些事情真的非常重要。

那些都是昆西的秘密。

***

一扇门开了。

不是远方的某扇门，而是厨房门。

一盏灯，又圆又亮，在走廊尽头悬挂着。透过菜园，射进院子里，照亮了帐篷的一角，光停在那儿，发生了倾斜，又沿着帐篷向上反射回去。

"是玛蒂吗？"

是妈妈的声音。

"在这儿呢。"玛蒂回答。

妈妈拿着一个手电筒，那种消防员专用的手电筒，它是汤米舅舅的，它发出的光太刺眼了，玛蒂需要把眼睛移开，她抬头看起了月亮。

"我把睡袋和另一个手电筒放在帐篷里了，"妈妈说，"你要穿睡衣吗？"

"克里斯托尔在哪里？"昆西问，出租屋内的灯亮了。

"她的房间门关不上了，汤米说要去看一下。"

"我要穿着自己的衣服睡，"昆西吆喝着，"我不想换了。"

"玛蒂呢？"妈妈问道 。

玛蒂摇了摇头，"今晚这样很好啊。"

妈妈在那儿站了一分钟，手电筒照在岩石上，"我要回去了，"她最后说，"校长请了一个临时清洁工，明天要过来，趁着学校还没开学，需要波特拉克给他讲讲需要干些什么。"

玛蒂没看妈妈，直接朝厨窗望去，她看到了波特拉克舅舅的影子，貌似他正在摆弄自己的帽子。

"有校长在，波特拉克太害羞了，"妈妈说，"太可爱了。"

害羞？玛蒂心想，她以前被人说过很害羞，所以她知道那并不意味着可爱。"我的笔记本呢？"玛蒂问。

"还在你的枕头下面呢。"妈妈答道，"我没有……"

"你能把它交给波特拉克舅舅吗？"玛蒂打断了妈妈的话，"我的那些维修保养知识的笔记，舅舅如果愿意，可以把那些笔记送给波奈特校长。"

"你肯定？"

玛蒂很肯定。

"需要我陪你一起走到帐篷那儿吗？"妈妈问玛蒂，她拿起了手电筒，"外面已经很黑了。"

昆西摇了摇头。

"我们认识路。"玛蒂说。

***

她俩确实认识路,玛蒂在前面带路,昆西跟在后面,走下山坡,走到帐篷那儿,走到睡袋那儿。

妈妈在帐篷里放了一个手电筒,它的光很亮,足够昆西画画用了。昆西给玛蒂拿了几张画纸,"我可以一边听月亮讲话,一边画画。"昆西对玛蒂说,"你能一边听一边写吗?"

可以,她是可以的,但现在她只是在听。她听到汤米舅舅的摩托车正在呼啸着,开向了斯维特小姐要去工作的地方,她听到波奈特校长说,如果可以的话,她明天还要继续来拜访,波特拉克舅舅说,校长的拜访是自己莫大的荣幸。

她听到了蜡笔在杂品袋上涂鸦的声音,从袋子底下一直涂到上面,后来,又听到昆西甜甜的打鼾声。

她还听到了一些别的声音,她很久没有听到过这些声音了,她听到了一个故事,这个故事就在她的脑海里,她可以把它写下来。

或许,是勇敢的牟的故事,或者她可以把一个老故事重新写一下,在那本黄皮的笔记本里,她还记着很多故事哩。

一阵风把帐篷的一边吹翻了,露出了接缝处的警告标签。玛蒂想起了火柴人,她在想,火柴人是否喜欢骑马呢?

她把铅笔放在了纸袋上。

早晨起床时,玛蒂被纸袋页面上的东西吓了一跳,被她写的东西吓住了。玛蒂想,虽然那仅仅是一个故事的开始,却是一个非常好的开头,这样的开头让人非常想知道接下来会发生什么。

在摩根夫人五年级的班上,不需要站在黑板前面介绍自己。而且不是只有新同学才要做自我介绍，每个人都要自我介绍，摩根夫人对他们说："对我来说，你们都是新面孔。"

他们一排排轮流介绍，一个接一个，每个同学都要站起来说出自己的名字，以及关于自己的一些好玩的事情。

在玛蒂前面一共有七张桌子，所以有七个人要比玛蒂先做自我介绍。

玛蒂没有记住最前面两个同学的名字，因为她的耳边全是自己心脏怦怦跳动的声音，别的啥都听不到，但是她强迫自己的眼睛去看他们。这时，坐在第二张桌子的男孩朝玛蒂笑了笑。

接下来是一个男生，"我叫大卫·布劳恩。"他介绍道，他有一只狗，一只很大的狗，整个暑假他都在试图驯服他的狗，但是这只狗还是不能听他指挥坐下。玛蒂想起了斯特拉，下面，玛蒂想，下面，或许，那只狗明白。

玛蒂想的不是班上同学真的说了什么，而是他们没说的那个部分，但那部分你也可以看见，就像你可以看见他们头发的颜色、鞋子的尺寸一样。猎犬真。

　　玛蒂光顾着思考了，没有听到接下来那个女生的名字。

　　她一边告诫自己要集中注意力，一边在想，也许当她介绍自己时，其他大部分人也不会太仔细听的。这下让她那颗悬着的心平静了许多，虽然没有完全静下来，但已经好了很多。

　　轮到第一排最后一个同学了，是一个女生，名字叫娜迪亚·本尼迪克特，在她的床底下，放着一整盒化石。

　　第二排的介绍开始了，玛蒂就在这一排，玛蒂觉得她的脸开始红得发烫，心脏也怦怦跳起来。

　　凯蒂·卡普，有一个双胞胎哥哥，名字叫乔，暑假时去过美国大峡谷。

"下一个。"摩根夫人叫道。

下一个男生站起来时,玛蒂想看看他长什么样,但玛蒂的脸实在太红了,她只好低头看着自己的笔记本。那是一个崭新的笔记本,很普通的那种,蓝色的封皮,一边还绕着许多钢丝。她已经在里面写了一些故事,其中有她记住的以前的故事,也有一些新故事,关于石兔的,甚至还有一个故事与波特拉克舅舅的帽子有关。玛蒂把手放在笔记本上,好让自己认真听前面同学的介绍。

"我的名字叫杰德·吉姆,"他介绍道,"我养了七只小鸡。"随后他又分别介绍了七只小鸡的名字,这些名字都很普通。

"下一个是谁?"摩根夫人问道。

玛蒂站起来,一只手还按在笔记本上。

"我是玛蒂·布琳。"她说,声音很小,但没人要求她大点声,他们都听得到,"我喜欢写故事。"

作者的话

这部小说，与我的第一部小说一样，都是以一本图画书开始的，一个害羞的小姑娘，一位爱社交的舅舅，以及一件神奇的事情，即当我们勇敢地说出最重要的事情时，恰好有一个真正的朋友在倾听。

当这个故事变成一部小说时，很多好朋友都来找我，批评小组成员有凯利·法曼、苏珊·萨德姆、米拉·乌尔夫、艾伦·迈尔斯、勒达·舒伯特以及诺尔玛·福克斯·梅泽。他们把这个故事读了很多遍，让我明白了隐藏的猎犬真。凯特·美斯特和她的女儿艾拉，大声地朗读这本书，并告诉我哪里有重复的地方。洛里·格里芬和马拉·弗雷奇陪伴我写完了整本书，他们提醒我哪里应该采取一点勇敢的小措施。

很荣幸可以在佛蒙特学院的美术邮报毕业会议上与大家一起分享这部小说。

佛蒙特影城中心目前正值是艺术家与作家之周，是西北太平洋地区儿童图书会议的重要聚集地。很高兴这些活动使得作家们可以有机会在那里交流彼此的作品。

与米夫林集团的同事一起工作充满乐趣，在此，我要特别感谢一下珍妮特·拉森编辑，她工作负责，洞察力深刻，如果有机会，她肯定会有更大的作为。

还要感谢赫柯特·勒布朗叔叔，他负责监管照顾密歇根法明顿的一所高中，并且是那儿的维修保管员。感谢莎伦阿姨，感谢乔叔叔，露营在他们家使得我有大量自由的写作时间。

感谢我的孩子，杰克和克莱尔，他俩非常活泼可爱，有时又会让人捉摸不透，他们给我了很多启发。我在写这本书时，他们尽量保持安静。在此我想告诉他们：比起那些书，妈妈更爱你们。

最后，要感谢我的丈夫，胡里奥·汤普森，我要把这本书献给你，谢谢你，亲爱的，谢谢你的鼓励和支持，谢谢你从始至终对本书的热情和期待。